PSICANÁLISE, TRAUMA E NEUROBIOLOGIA

PSICANÁLISE, TRAUMA E NEUROBIOLOGIA

Sebastião Abrão Salim

Belo Horizonte

ArteSã

2012

Projeto Gráfico:
ANDRÉA MARIA ESTEVES
Revisão:
ANTÔNIO CARLOS SANTINI
Revisão Final do Autor
Impressão:
GRÁFICA E EDITORA O LUTADOR

FICHA CATALOGRÁFICA

159.964.2 SALIM, Sebastião Abrão.
S165p **Psicanálise, trauma e neurobiologia** / Sebastião Abrão Salim. ___ Belo Horizonte: Artesã, 2012.
232 p.: 16 x 23 cm.

ISBN: 978-85-8809-23-3

1. Psicanálise. 2. Trauma psíquico. I. Título.

Marília de Oliveira – CRB 6º 1748

ARTESÃ EDITORA LTDA.
Rua Curvelo 132, loja 28 - Floresta
31015-172 - Belo Hoizonte/MG
www.artesaeditora.com.br

Agradecimentos

Agradeço a meus pais, Abrão Salim e Magdalena Salim, pela vida e exemplo de trabalho. Ao tio Dr. José Pedro Salomão, pelos ensinamentos e por sua natureza tolerante, humilde, insistente e audaciosa que muito herdei, necessária para os voos de imaginação e da obediência às regras, elementos que me permitem o trabalho de pesquisa.

À Ionne, única; aos filhos Márcio, Patrícia e Natece, pela singularidade afetiva do amor filial; aos genros Josemar e Adriana, que sempre somam; e aos netos Lucas, Daniel e Natalia, que acenam com promissores futuros e me enchem de alegria.

... a meus pacientes, que estão me permitindo desfazer de dogmas que me congelavam.

Sumário

Sumário

Introdução

"... Pois ficar, apesar das horas que queimam na noite, é cristalizar, congelar e ficar colado a um molde".
Khalil Gibran

A Psicanálise, termo cunhado por Freud em 1896, para denominar suas recentes descobertas sobre a vida mental, foi de forma contínua reavaliada por ele, até sua morte em 1937.

Continua sendo o maior acervo de conhecimento teórico sobre o funcionamento mental. Prossegue tendo papel importante no desenvolvimento da cultura, dos hábitos e da organização social e cultural do nosso tempo.

Seguidores ampliaram seus estudos. Muitos constituíram escola, acrescentando desenvolvimentos aos princípios básicos da teoria e da técnica enunciados por ele, de forma mais destacada no campo das relações intersubjetivas e intrassubjetivas. Contudo, pouco se aproximou a Psicanálise da Biologia, o substrato anatômico da mente e, portanto, intimamente relacionada com sua formação e funcionamento.

Neste livro, retomo a possibilidade dessa aproximação com reavaliação da psicopatologia. Acredito, com desenvolvimento para ambas as ciências, mediante o acréscimo do estudo do trauma biológico e suas respostas inatas e reflexas, elemento central da neurose traumática ou atual. É diferente do trauma psíquico, no qual Freud se baseou para enfocar a psicopatologia das neuroses de defesa.

Em 1919, Freud se manifestou sobre as neuroses de guerra, mostrando-se reservado para emitir um parecer sobre o valor de suas teorias para o seu tratamento. Em 1920, reafirma a improcedência das mesmas para explicá-las e mostra desconhecer seus efeitos tardios. Escreveu: "Antes que essas propostas pudessem ser postas em ação (centros psicanalíticos para estudar a natureza desses intricados distúrbios e o efeito terapêutico exercido sobre eles pela psicanálise), a guerra chegou ao fim, as organizações estatais ruíram e o interesse pelas neuroses de guerra deu lugar a outras preocupações. No entanto, é significativo o fato de que, quando as condições de guerra cessaram de operar, a maior parte das perturbações neuróticas pela guerra desapareceu simultaneamente".

Minha observação clínica mostra, ao contrário, que o trauma deixa efeitos psíquicos e neurobiológicos ao longo da vida, mesmo aqueles que ocorreram em época precoce do desenvolvimento individual.

Em *Muito além do princípio de prazer* (Freud, 1920, p.81), advertiu que: "a biologia é, verdadeiramente, uma terra de possibilidades ilimitadas. Podemos esperar que ela nos forneça as informações mais surpreendentes, e não podemos imaginar que resposta nos dará, dentro de poucas dezenas de anos, às questões que lhe formulamos. Poderão ser de um tipo que ponha por terra toda nossa estrutura artificial de hipótese. Se assim for, poder-se-á perguntar por que nos embrenhamos em uma linha de pensamento como o presente (a oposição entre os instintos de vida e os instintos de morte) e, em particular, torná-la pública. Bem, não posso negar que algumas das analogias, correlações e vinculações que ela contém, pareceram merecer consideração".

Freud, embora estivesse interessado desde seus escritos iniciais, como no *Projeto para uma psicologia científica* (1950 [1895]), em articular a Psicanálise com a Biologia, nos escritos posteriores só o fez ao se referir à intensidade constitucional dos instintos. Não atinou para importância das respostas biológicas da vítima ao trauma, assim como a importância do estudo das relações do funcionamento do sistema nervoso autônomo com o sistema nervoso central, como ainda acontece com os psicanalistas atuais. Contudo, em relação a ele, é preciso considerar que já era uma tarefa hercúlea demonstrar a importância da teoria da repressão dos impulsos biológicos sexuais para explicar a psicopatologia das neuroses de defesa. Tinha pela frente a espinhosa tarefa de continuar seus estudos sobre a estrutura do aparelho mental, a origem dos sintomas psíquicos, as neuroses narcísicas, as psicoses e a oposição da comunidade científica de sua época.

Assim, mais ao fim de sua vida, faz a mesma observação, segundo citação de Strachey (1937, p. 242) no prefácio de uma das últimas obras de Freud, *Análise Terminável e Interminável*: "É de se notar, em primeiro lugar, que os fatores para os quais ele chama grandemente a atenção são de natureza fisiológica e biológica, sendo assim, em geral, insusceptíveis a influências psicológicas. Desse tipo, por exemplo, são a relativa força constitucional dos instintos e a relativa fraqueza do ego, devida a causas fisiológicas como a puberdade, a menopausa e a doença física. Mas o fator impeditivo mais poderoso de todos, que está além de qualquer possibilidade de controle, é o instinto de morte".

Desde o início de seus estudos, diferenciou as neuroses de defesa da neurose traumática ou atual. Descreveu-lhe o quadro clínico e em 1925, voltando ao tema, escreveu: "Desde aquela época não tive oportunidade de voltar à pesquisa das neuroses atuais; nem essa parte do meu trabalho foi continuada por outro".

Freud foi antes de tudo um conquistador, como se autodenominava, um cientista em busca de luz para um universo indevassável e indecifrável, que ainda o é e será por tempo indeterminado. Em tudo, foi muito articulado e parcimonioso. Talvez essa a razão por que se tornou um totem da ciência psicanalítica. Quase tudo que criou está intocado e é referência.

Alguns autores sucederam Freud e formaram escolas. Não é demasiado concordar com aqueles que defendem a existência de mais de uma Psicanálise, entre os quais me incluo. Um olhar para minhas duas análises feitas durante minha formação com psicanalistas criteriosos, me mostrou quanto eram diversas: uma freudiana e outra kleiniana.

Embora o esforço para unificar a teoria e a técnica psicanalítica, cujo primeiro passo foi dado em 1922 com a criação dos parâmetros de uma formação psicanalítica, a Psicanálise tornou-se uma torre de Babel, onde psicanalistas de diversas escolas falam línguas diferentes. Continuam os esforços, agora com criação de grupos dentro da IPA, para tentar definir o que há de comum entre as correntes atuais.

Um mesmo material clínico é enfocado de acordo com referencial teórico e técnico de cada psicanalista. Seu trabalho clínico tem semelhança ao do escultor, que vai modelando seu objeto de criação, segundo sua referência teórica e sua imaginação criativa.

Mais atualmente, a Psicanálise tem recebido críticas construtivas da comunidade científica nesse sentido da ausência de parâmetros definidos, conforme Kandel (2003). Esse autor, psicanalista vienense, imigrou para a América e depois se dedicou ao estudo da memória, o que lhe valeu o prêmio Nobel de Medicina de 2000.

Valendo-se da sua experiência e conhecimento psicanalítico, escreveu:

> "Durante a metade do século XX, a psicanálise revolucionou nossa compreensão da vida mental. Ela proporcionou um conjunto surpreendente de novos *insights* sobre os processos inconscientes, o determinismo psíquico, a sexualidade infantil e, talvez, o tema mais relevante de todos, a irracionalidade da motivação humana... Embora o pensamento psicanalítico continue a progredir, ultimamente tem havido relativamente poucos novos *insights* e relevantes progressos, com a possível exceção de alguns avanços na área do desenvolvimento infantil. Este declínio é lamentável, já que ela continua a representar a visão mais coerente e intelectualmente satisfatória da mente humana... Tenho como propósito neste artigo sugerir uma forma de revigoramento da teoria psicanalítica que se dá através do desenvolvimento de uma relação próxima com a biologia em geral e a neurociência cognitiva em particular".

Entendo que esses desencontros entre os psicanalistas derivam da ausência de marcadores biológicos para as doenças mentais e de nosso componente autista.

Para tentar entendê-los, vou-me basear nas minhas duas análises pessoais, nas divergências teóricas e técnicas da abordagem de casos clínicos durante encontros científicos, nas publicações psiquiátricas sobre o trauma com noção de morte, os avanços da Neurobiologia referentes as respostas biológicas instintivas e reflexas presentes desde o início da vida biológica e experiências da Psicologia Experimental, como será detalhado.

Este estudo interdisciplinar auxiliou-me, paradoxalmente, a trabalhar melhor com a recomendação técnica da livre associação de ideias (Freud, 1912) ou da ausência de memória e de desejo (Bion, 1962). Acredito que fui mais distante do que se ficasse apenas como psicanalista. Da mesma forma deve ocorrer com os estudiosos das áreas afins. Poderão ir mais adiante se absorverem as contribuições da Psicanálise. Tal movimento já existe e é coordenado pela Associação Internacional de Neuropsicanálise.

A melhor compreensão da psicopatologia dos distúrbios mentais não me afastou de parâmetros clássicos da Psicanálise, embora fosse necessária uma desmistificação parcial de alguns dogmas e paradigmas, que abundavam meu universo psicanalítico. Foi embaraçoso, mas valeu a pena. Os resultados do meu trabalho clínico de antes e de agora, geram-me uma convicção de refinamento clínico difícil de ser desfeita. Considero-me mais equipado para utilizar os desenvolvimentos acrescentados pelos autores das teorias das relações objetais e de suas recomendações técnicas. Sinto-me mais apto para perceber e utilizar os fenômenos da transferência e da contratransferência. Acompanho a fala do paciente sem considerá-la sempre simbólica ou pré-simbólica que poderá chegar a ter uma representação mental, postura muito habitual na atualidade. Com frequência o analisando está narrando um concomitante fisiológico de natureza inata e reflexa do organismo devido a uma situação traumática sentida como noção de morte.

Acredito que, se Freud estivesse vivo, teria reformulado parte da sua teoria, como fez ao longo do seu trabalho como pesquisador.

Não posso deixar de mencionar, que se repetiu comigo o sucedido com Freud, ou qualquer inovador que se arvora em apresentar ideias novas para explicações antigas. Ficar isolado por um tempo.

Este fenômeno aconteceu mais recentemente com Miguel Nicolelis (2011), brilhante neurocientista brasileiro, que se vem destacando internacionalmente com suas pesquisas, relacionando cérebro-máquinas. Em livro publicado recentemente, escreveu:

"Nas últimas três décadas, quase todas as vezes que um dos meus trabalhos retornou do processo obrigatório de revisão, tive que lidar com a recomendação inevitável (dos revisores) para remover do manuscrito qualquer fragmento de pensamento especulativo sobre o potencial futuro das interfaces cérebro-máquina. Durante esses momentos dolorosos, eu geralmente fantasiava sobre o dia que essas ideias poderiam ser resgatadas e liberadas para que outros pudessem examinar e refletir sobre sua validade, mesmo que em teoria. Depois de tantos anos de frustração, essa sonhada oportunidade finalmente se materializou.

Por incrível que possa parecer, tal exercício não é trivial, já que o período em que eu e meus alunos tivemos de enfrentar a ultraconservadora cultura acadêmica, muitos escritores de ficção científica e diretores de cinema, aproveitaram o vácuo deixado pelos neurocientistas, para, sem reservas e em alguns casos sem qualquer limite ou compromisso com um mínimo de credibilidade, apenas usando sua imaginação fértil, tentar traçar o futuro das ICMS. Apenas no ano 2009, duas mega produções de Hollywood, *Substitutos e Avatar*, descreveram o tipo estereotipo popular da ciência em geral, e das ICMS em particular, se transformando numa nova e poderosa tecnologia capaz de dominar, ferir ou mesmo aniquilar indivíduos, ou até civilizações inteiras".

Fato outro, recente, uma publicação do jornal *Estado de Minas*, de 23/09/2011, refere-se à pesquisa feita pelo Centro Europeu de Pesquisa Nuclear (CERN) sobre a detecção de partículas subatômicas - os neutrinos - que atingiram uma velocidade maior que a da luz, fato que contraria a Teoria da Relatividade, elaborada por Albert Einstein. Se confirmada essa teoria, a Física terá de ser revisada.

É interessante mencionar o que disse James Gilles, porta-voz do CERN: "O sentimento que a maioria das pessoas tem é que não pode estar certo, isso não pode ser real".

Franz Wilczek, vencedor do Nobel de Física e cientista do Instituto de Tecnologia de Massachusetts, afirmou estar bastante surpreso com a novidade. Declarou:

"Seria um episódio bastante assustador. Eu ficaria muito surpreso se isso estiver correto. Eu não estou ciente de qualquer teoria coerente que preveja tal coisa, enquanto uma teoria muito coerente e bem sucedida, o chamado modelo padrão, nega essa possibilidade. Isso seria difícil de reconciliar com tudo que já sabemos. Eu não ficaria tão excitado, até que isso seja cuidadosamente apurado pela comunidade científica e seja reproduzido".

Sinto-me inserido nesse contexto, guardadas as proporções dos méritos dos personagens citados.

Ainda sou mantido em isolamento profissional. Esse fato não me transtorna, apenas me deixa pesaroso por não ser ouvido com mais frequência e atenção. Apazigua-me a certeza de que há no universo dos homens uma predisposição autista que opera contra qualquer mudança no nosso acervo de hábitos e conhecimentos, devido ao medo de desfazer as defesas existentes para manter a lucidez e a vida, ainda que novos conhecimentos possam nos dar mais qualidade de vida. Afinal, é nisso que acreditamos quando oferecemos ao paciente nossos conhecimentos para auxiliá-lo com seu sofrimento.

Penso que apresento contribuições teóricas e técnicas, que podem auxiliar no tratamento da psicopatologia da neurose traumática e dos transtornos do espectro autista mencionados abaixo, tão mais presentes em nossos consultórios do que as neuroses de defesa, hoje em menor proporção devido às mudanças culturais acontecidas com relação à repressão sexual.

Nessa importante área clínica, do vazio e do desvalimento, a Psicanálise continua como Freud a deixou, isto é, sem explicação para a etiopatogenia e a psicopatologia, e a Psicanálise caminha cada vez mais afastada do diagnóstico clínico. Considero grave o fato de os psicanalistas se manterem incapazes para diferenciar uma neurose de defesa de uma neurose traumática, e tratarem todos os pacientes portadores dessa última com o mesmo referencial teórico e técnico desenvolvido por Freud e alguns de seus seguidores.

Pretendo expor contribuições pessoais para a compreensão dos distúrbios alimentares, os distúrbios autistas, as perversões, as psicoses, a adição à drogas e ao álcool, de forma unânime remetidas pelos psicanalistas clássicos à falhas precoces no desenvolvimento emocional pós-natal. Reúno-os como entidades de um espectro autista.

Possuo trabalhos publicados desde o início desses estudos, quando minha curiosidade estava voltada para precisar os elementos que compõem nossa realidade psíquica. É um desenvolvimento teórico e técnico de muitos anos. Vou anexá-los de forma cronológica, como capítulos, na expectativa de demonstrar que, por mais ficcionista que me julguem, não há intuição ou imaginação sem um precedente. Ao fazê-lo, espero que o leitor tenha mais facilidade para me acompanhar, deixando em si um espaço mental para registrá-lo e, talvez, prosseguí-lo.

Para mim, o que faço é ciência em busca de respostas para questões não alcançadas pela luz do saber. Considero-me no início.

Continuo acompanhando publicações científicas nesse sentido, preocupado em aprofundar pesquisas e estudos que possam auxiliar-me em meu trabalho clínico e, se possível, de ensino e pesquisa.

Capítulo I

O conceito de realidade psíquica (1994)*

Realidade psíquica é expressão pouca mencionada pelos psicanalistas e mal entendida. É objetivo deste trabalho resgatá-la e conceituá-la. Tanto ela quanto a realidade material são elementos centrais na teoria e na técnica psicanalítica. Têm relação com a díade fantasia-realidade.

Para tanto, vou fazer a revisão da sua evolução na obra de Freud e de outros autores clássicos e atuais.

Meu interesse foi despertado por uma paciente leiga quando, de forma inesperada, disse-me: "Eu sei que o que estou pensando tem mais a ver com minha realidade psíquica do que com a realidade propriamente dita".

---

* Trabalho apresentado em sessão científica ocorrida no Núcleo Psicanalítico de Minas Gerais em Novembro de 1994.

Nota explicativa

Este trabalho foi escrito sob a influência recebida durante meus anos de formação médica, depois como professor de Psiquiatria ao lado de eminentes catedráticos da Faculdade de Medicina da UFMG e, por final, meu convívio com a formação e a prática psicanalítica e seu objetivo. Desde minha formatura, em 1963, mantive 31 anos de disciplina científica. Meus mestres e pares contaminaram-me com suas inclinações para a pesquisa e a formação acadêmica.

Outro elemento foram duas longas experiências de análise pessoal com psicanalistas de correntes diferentes. Hoje, as considero sem paralelo teórico, como se houvessem duas Psicanálises orientadas por referenciais teóricos e técnicos diferentes. Avalio como duas experiências terapêuticas negativas, embora meus psicanalistas fossem tidos como expoentes da Psicanálise brasileira e me quisessem muito bem. Eu era enquadrado em suas teorias, como é habitual acontecer. Tinha meu Eu engessado. Por algum tempo me percebi fazendo o mesmo com meus pacientes. Não queria mais o mesmo para eles.

Esses elementos certamente me orientaram para definir o objeto do meu trabalho como psicanalista: a realidade psíquica do meu paciente despoluída da minha realidade psíquica. Valeria a pena conceituar a expressão realidade psíquica.

A expressão realidade psíquica me soou leve, instigante e visceral. Foi prazeroso escutá-la, trazendo para perto de mim algo que ouvia ocasionalmente e nem eu usava mais. O que usava agora? Realidade interna, mundo interno, realidade inconsciente, subjetividade? Eram expressões sinônimas para um mesmo conceito? Poderia confrontá-las? Tinha sentido confrontá-las?

Logo me ocorreu que sim, devido a sua sonoridade, aproximando-a do simbólico, do onírico, do poético e do trabalho de elaboração psíquica.

Essa reflexão momentânea fez-me sentir solto, criativo e acolhedor com a paciente. Precisava corresponder de forma flexível e não saturada. Talvez o mesmo suceda quando ouvimos a palavra saudade. Dá margem à fantasia e à imaginação.

Comparei-me com outros colegas por meio de trabalhos científicos, revistas, livros e eventos. Notei que a expressão realidade psíquica não era utilizada. Caíra em desuso e eu era mais um que seguia a horda psicanalítica, sem me questionar.

Verifiquei que não sabia qual o conceito de realidade psíquica e que era importante situá-lo entre os elementos da Psicanálise, como ocorria com transferência, inconsciente, ego e outros.

Importância

A expressão realidade psíquica é mais apropriada à regra básica da Psicanálise: a articulação entre a associação livre do paciente e a atenção flutuante do analista. Realidade psíquica refere-se apenas ao psíquico, que para ser constituído e percebido, requer um instrumento específico: a empatia de outra pessoa. As expressões mundo interno, realidade interna e realidade inconsciente não destacam a fantasia inconsciente, um dos objetos do nosso trabalho interpretativo. Portanto, deixam a desejar.

Penso que a única capaz de substituí-la de forma mais adequada, seria realidade onírica, porém esta é própria para outro fenômeno psíquico, o sonho, abrangendo as características desse, o que requer elaboração adequada para seu entendimento. Mesmo assim, eu não encontrei essa expressão na literatura consultada.

Realidade psíquica é um conceito vital para a Psicanálise e é válido o esforço para ordená-lo, impedindo que a indefinição o iguale a outros conceitos, como se tivessem a mesma valência.

A integridade de uma pessoa está assentada na capacidade para aferir sua realidade psíquica e articulá-la com a sua realidade material. Quanto menos capaz, mais doente é.

Vinhetas clínicas ilustrativas

Paciente A

Conta-me que o ex-analista a persegue de várias maneiras e várias horas no dia. Põe motoqueiros para vigiar suas saídas, telefona-lhe em horas diferentes do dia e da noite. Ela acha que ele está apaixonado por ela. Não se dá conta de que é ela quem está apaixonada por ele.

Paciente B

Relata que não tem mais sossego em seu apartamento e está ficando louca. De um lado moram dois travestis. Em cima, um indivíduo que toma vários banhos à noite e durante a madrugada. No lote vizinho há um *drive-in*, onde se vê de tudo. É uma criação imaginária dela centrada em tendências sexuais polimorfas reprimidas, das quais quer se ver livre.

Essas afirmações dos pacientes têm uma valência e, dependendo da severidade do superego, estarão dispostos a examiná-las conosco ou não. Refletem realidades psíquicas, e a finalidade do nosso trabalho é interpretá-las, isto é, tornar consciente a realidade psíquica, mediante o método interpretativo e o *setting* adequado.

Vou tentar mostrar a indefinição do conceito de realidade psíquica a partir de um rastreamento na obra de Freud e outros autores.

Evolução do conceito de realidade psíquica na obra de Freud

Freud, ao longo de sua obra, aborda a questão da realidade em vários contextos e datas sucessivas. *Realidade e alucinação*

(1894); *Realidade, superstições e misticismo* (1901); *Sentido de realidade nos sonhos* (1906); *Afastamento neurótico da realidade* (1911); *Mundo externo e atenção* (1911); *Realidade e fantasia* (1916); *Teste da realidade* (1916); *Remodelamento da realidade nas psicoses e substituição da realidade nas fantasias* (1924); *Realidade psíquica e externa* (1938); *Realidade psíquica e adaptação ao mundo externo* (1938). Essas são algumas referências em meio à ampla abordagem do tema feita por ele sem a preocupação de conceituar realidade psíquica.

Vou rastreá-lo, seguindo o índice remissivo da E.S.B. e notas de Strachey. Esse conceito aparece pela primeira vez no *Projeto para uma Psicologia científica* (1895). Escreve Freud: "Também as indicações de descarga por meio da fala são de certo modo indicações da realidade, mas da realidade de pensamento e não da externa". Ele está dizendo que a modulação da fala pode estar ditada por uma participação maior de elementos de dentro do indivíduo do que de fora. Inicia a diferenciação entre uma realidade psíquica e uma realidade material, e iguala realidade de pensamento à realidade psíquica.

Em *Interpretação dos sonhos* (1900), escreve: "O consciente é a esfera maior que inclui dentro de si a esfera menor do inconsciente. Tudo que é consciente possui uma etapa preliminar que é inconsciente, enquanto aquilo que é inconsciente pode permanecer neste estágio e, não obstante, ser encarado como possuidor de pleno valor de um processo psíquico. O inconsciente é a verdadeira realidade psíquica: em sua natureza mais íntima, ele nos é tão desconhecido quanto a realidade do mundo exterior, e é tão incompletamente apresentado pelos dados da consciência quanto o é o mundo externo pelas comunicações de nossos órgãos dos sentidos". Mais adiante, menciona: "Se olharmos para os desejos inconscientes reduzidos à sua mais fundamental e verdadeira forma, teremos de concluir, fora de dúvida, que a realidade psíquica é a forma de existência que não deve ser confundida com a realidade material". Nesse trabalho, usa a expressão realidade psíquica e a define como o próprio inconsciente.

Em *Totem e tabu* (1913), escreve: "Se, contudo, pesquisarmos entre esses neuróticos, para descobrir quais foram os atos que provocaram tais reações, ficaremos desapontados. Não encontraremos atos, mas apenas impulsos e emoções que pretendem fins malignos impedidos de realizar. O que jaz por trás dos sentimentos de culpa dos neuróticos são sempre realidades psíquicas, nunca realidades concretas. O que caracteriza os neuróticos é preferirem a realidade psíquica à realidade concreta, reagindo tão seriamente aos pensamentos, como as pessoas normais reagem à realidade. No homem primitivo, o simples impulso hostil contra o pai, a mera existência de uma fantasia plena de desejo de matá-lo e devorá-lo, teriam sido suficientes para produzir a reação moral que criou o totemismo e o tabu".

Nessa passagem, além de explicar a antítese realidade psíquica e realidade concreta, deixa clara a definição de realidade psíquica: "No homem primitivo o simples impulso hostil contra o pai, a mera existência de uma fantasia plena de desejo de matá-lo e devorá-lo...". Iguala realidade psíquica com fantasia inconsciente e fala de uma realidade psíquica e de uma concreta.

Em *O estranho* (1919), escreve: "Refiro-me a que um estranho efeito se apresenta quando extingue a distinção entre imaginação e realidade, como quando algo que considerava imaginário surge diante de nós na realidade, ou quando um símbolo assume as plenas funções da coisa que simboliza, e assim por diante. É esse fator que contribui não pouco para o estranho efeito das práticas mágicas. Nele, o elemento infantil que também domina a mente dos neuróticos, é a enfatização da realidade psíquica em comparação com a realidade material - um aspecto estreitamente ligado à onipotência dos pensamentos". Exemplifica com a visão do busto entalhado, que passa a ser visto pela pessoa como vivo em todos os cômodos da casa. Prossegue: "Quando o estranho se origina dos complexos infantis, a questão da realidade material não surge e seu lugar é tomado pela realidade psíquica. Poderíamos dizer que, no caso, o que foi reprimido é um determinado conteúdo ideativo e, no outro, sua realidade material".

Nesse trabalho, Freud substitui a expressão realidade concreta por realidade material, que já fora usada uma vez antes na *Interpretação dos sonhos* (1900), e a realidade psíquica fica igualada ao inconsciente e seus conteúdos ideativos inconscientes (pensamentos, imaginações, intenções, impulsos, delírios, ilusões e ideias).

No trabalho *Sonho e telepatia* (1922), escreveu: "Duas pessoas experimentam que em determinado dia e hora ouviram um chamado. Tal ilusão de memória surge na mente com uma força constrangedora, que haurem de fontes reais, mas transformam a realidade psíquica em realidade material. Ambas receberam mensagem telepática. Provável explicação: a mãe dissera-lhe ter ouvido o clamor do filho e a filha ficara com a ilusão de memória que também teria ouvido, mas ela toma a certeza de que ouvira mesmo, independente da fala da mãe. Explicação: de fato a irmã gostaria de ser a mãe do rapaz, e que o grito tivesse sido dirigido a ela. Todos os delírios e ilusões derivam sua força e seu caráter inexpugnável do fato de possuírem uma fonte de realidade psíquica inconsciente". Aqui, Freud iguala realidade psíquica a uma ilusão de memória e faz referência à realidade psíquica inconsciente.

Sua última abordagem foi em *Moisés e o monoteísmo* (1939), onde realidade material foi substituída por realidade externa e onde usa pela primeira vez a expressão realidade psíquica interna. Escreve: "Eles (os fenômenos patológicos) são insuficientes ou de modo algum influenciados pela realidade externa. Não lhe concedem atenção ou a seus representantes psíquicos, de forma que podem entrar em oposição ativa a ambos. São, poder-se-ia dizer, um estado dentro de um estado, um partido inacessível com o qual a cooperação é impossível, mas que pode alcançar êxito em dominar o que é conhecido como partido normal e forçá-lo a seu serviço". Prossegue: "Se isso acontecer, acarreta uma dominação por parte de uma realidade psíquica interna sobre a realidade do mundo externo e está aberto o caminho para o caminho para a psicose". Freud volta a definir realidade psíquica como o continente dos conteúdos do inconsciente (fantasias, intenções, pensamentos, ilusões, memórias), dotados de um poder de expressão e ação de graus bastante variáveis, mas podendo ir a um extremo capaz de, na cabeça de quem pensa, substituir a essência da realidade material. Escreve agora realidade psíquica interna e uma realidade do mundo externo, e não realidade material.

Sobre esse rastreamento, podemos fazer alguns comentários. Freud oscila do início ao fim de sua obra quanto à terminologia a ser usada, finalizando sem conclusão. Usa as expressões realidade psíquica, realidade psíquica inconsciente, realidade interna, realidade externa, realidade do mundo externo, realidade concreta e realidade material de modo indiferenciado. Quanto ao conteúdo, não deixa dúvida de que realidade psíquica é sempre interna e inconsciente. Não se explica por que foi mudando. Usou a expressão realidade psíquica como interna e inconsciente e deu a entender que preferiu a expressão realidade material à realidade externa e concreta.

A realidade psíquica e outros autores

Para Laplanche e Pontallis (1967), Freud usou a expressão realidade psíquica para "tratar fundamentalmente do desejo inconsciente e dos fantasmas conexos. Ele não o faz simplesmente para designar o campo da Psicologia concebida como possuidora da sua ordem de realidade própria e susceptível de uma investigação científica, mas o que para o indivíduo assume no seu psiquismo valor de realidade". Isto é, ambos enfatizam o grau de realidade que a pessoa dá às suas produções psíquicas e só secundariamente enfatizam sua localização como continente, como fez Freud ao longo de sua obra.

Segundo Winnicott (1955), "torna-se necessário dar uma olhada na realidade psíquica interna do lactente e da criança. Essa rapidamente se torna um mundo pessoal em crescimento que é situado pela criança, tanto dentro como fora do *Self*, do *Self* que está recém-estabelecido como uma unidade com uma pele". Continua: "Como um desenvolvimento adicional, vem a existir o que poderia chamar de membrana limitante, que até certo ponto é equacionado com a superfície da pele e tem uma posição entre o Eu e o Não-eu do lactente, de modo que este vem a ter um interior e um exterior e um esquema corporal. Deste modo começam a ter sentido as funções de entrada e saída. Além disso, se torna gradualmente significativo pressupor uma realidade psíquica interna ou pessoal para o lactente". Em outro trabalho escreve:

"A ideia de realidade psíquica expressa a compreensão que o analista tem de que a fantasia apresentada pelo paciente é real em seu próprio sentido e está muito distante daquilo que chamamos devaneio, que até certo ponto funciona sob controle da consciência e da qual os elementos indesejáveis são eliminados".

Vemos Winnicott ora enfatizar a questão da localização, ora a vitalidade da realidade psíquica, quando se aproxima mais de Freud.

Segundo Kohut (1999), "esses colegas reivindicarão ainda, que na prática clínica da Psicologia Psicanalítica do *Self*, em contraste com a Psicanálise tradicional, o analista verdadeiramente apreende a percepção que o paciente tem da realidade psíquica e aceita-a como válida. Isso equivale a dizer que o psicólogo da Psicologia do *Self* não confronta o paciente com uma realidade objetiva. Essa é supostamente mais real que sua realidade interna, mas antes, confirma a validade e a legitimidade da percepção que o paciente tem da realidade por contrária que possa ser a visão aceita da realidade sustentada pela maioria dos adultos e pela sociedade em geral". Nessa citação, Kohut vacila entre as expressões realidade psíquica, realidade objetiva e realidade interna. Sua diferenciação entre realidade psíquica e realidade objetiva se faz entre o conceito que existe dentro de uma pessoa de determinada percepção e a percepção de terceiros sobre o mesmo objeto, embora assinale a força que tem a realidade psíquica do paciente para ele mesmo, deixando entender que a mesma é constituída de elementos inconscientes.

Bion (1973) escreveu: "A suspensão de memória, desejo, compreensão e impressões sensoriais parece impossível sem uma completa negação de realidade; mas o psicanalista procura alguma coisa que difere do normalmente conhecido como realidade". Continua: "Uma crítica aplicada àquilo que geralmente significa realidade não quer dizer que esta seja indesejável para o propósito de conseguir contato com a realidade psíquica, isto é, com as características evoluídas de O". Em outro trecho escreve: "O analista está preocupado com O. Usarei o sinal O para denotar a realidade última, verdade absoluta, o ente supremo, a coisa em si, o infinito. O não cai no domínio do conhecimento ou da aprendizagem salvo incidentalmente; ele pode vir, mas não será conhecido. Apesar de obscuro e informe, entra no domínio de O, quando tiver evoluído até o ponto de ser elucidado através de conhecimento adquirido pela experiência e formulado em termos derivados da experiência sensorial; sua existência é conjeturada fenomenologicamente".

Bion está criando uma nova terminologia para se referir ao inconsciente de Freud, tal como ente supremo, verdade última, etc. Ele não fala de algo dentro e algo fora, mas como Freud afirma, a realidade psíquica é igual ao inconsciente e o tempo todo está tentando uma técnica que ajude o analista a diferenciar o que está em sua mente com o que está na mente do paciente e uma forma para testar as conclusões alcançadas.

Klein deixou explícito em vários fragmentos de sua obra que a realidade psíquica é igual ao conjunto de fantasias inconscientes existentes na criança e no adulto, relacionadas a objetos internos bons e persecutórios. Na mania, entende que é essa realidade psíquica que é negada pelo ego, com o auxílio do sentimento de onipotência.

Escreveu: "Este mecanismo de negação se origina naquela fase muito recuada em que o ego não desenvolvido se esforça para se defender da mais acabrunhante e profunda das angústias, ou seja, o temor aos objetos interiorizados e ao Id; isto é, o que se nega em primeiro lugar é a realidade psíquica, e o ego então pode continuar negando uma grande parte da realidade exterior". Continua: "Todavia, na parte direita do desenho V, a mãe aparece simultaneamente como pássaro horrível (bico aberto) e como rainha (coroa azul claro). Com a diminuição da negação de sua realidade psíquica, Richard se tornará mais capaz de enfrentar a realidade externa, porque lhe fora possível reconhecer o fato de que sua mãe realmente o frustrara e que, portanto, provocara o seu ódio".

Como Freud, Klein iguala a realidade psíquica ao inconsciente incluindo nessa, também, objetos interiorizados como as pessoas. De modo diferente de Freud, usa a expressão realidade exterior e não realidade material.

Consultei, pelo índice remissivo, as obras de todos esses autores citados sobre a realidade psíquica. Verifiquei que nenhum deles dedica um trabalho específico sobre o tema e poucos mencionam suas referências quanto ao conceito e a expressão realidade psíquica. Como Freud, todos concordam que ela é inconsciente, mas se perdem no uso da terminologia, usando indistintamente várias expressões para designar realidade psíquica e realidade material.

Voltando para o presente, observamos um fato importante. Autores conceituados como Green, Ogden, Kernberg e Meltzer, para citar alguns, não usam mais explicitamente a expressão e o conceito de realidade psíquica como os clássicos. Em seus trabalhos mencionam realidade interna, realidade subjetiva e realidade externa. Consultando a *Revista Brasileira de Psicanálise* (Vol. 32, n.3, 1998), que trata dos temas do XLI Congresso Internacional de Psicanálise, os trabalhos nela publicados não fazem referência a realidade psíquica e a sua relação com o inconsciente. No seu editorial, diz França (1999): "Numa época em que discussões têm ocorrido quanto ao enfoque e observações dos fenômenos intrapsíquicos de um lado e as questões da intersubjetividade de outro, torna-se relevante a questão do espaço interior e exterior do indivíduo e sua relação com o mundo". De fato, tudo isso é importante, mas não podemos deixar de dizer que o monitoramento dessa harmonia depende da elaboração da realidade psíquica, seja do paciente, seja do analista, nos remetendo à questão suprema da transferência e contratransferência.

Conclusão

Esse trabalho contém uma revisão da expressão realidade psíquica, para nomear um conceito e seu conteúdo. Está em desuso pelos psicanalistas, como vinha acontecendo comigo mesmo.

Devido à sua proximidade com a vida simbólica, a vida onírica e a fantasia inconsciente, seu uso é mais adequado do que expressões como mundo interno, realidade interna, realidade inconsciente, realidade subjetiva e outras para definir o objeto do trabalho do psicanalista.

Foi usada de modo aleatório por Freud sem uma preocupação em sistematizá-la, acompanhado por outros autores clássicos e atuais. Considero essa conceituação importante para facilitar nossa comunicação ao nos referir à vida inconsciente.

É importante para dimensionarmos o psíquico, e agradeço a minha paciente, que me possibilitou resgatar e compreender melhor a expressão realidade psíquica.

Capítulo II

O Silêncio do analista (1995) *

Este trabalho está baseado no aprendizado das contribuições de Bion sobre o fenômeno da *reverie* e sua regra técnica que enfatiza a memória sem desejo.

Exalta a importância do silêncio na seção para obter a interpretação da realidade psíquica do paciente. Ele estimula e favorece o entendimento. É importante que o silêncio esteja acompanhado da constância física, da empatia e da autenticidade do analista.

A interpretação provável

Ilustração clínica

A paciente faz três sessões por semana e fala quase o tempo todo. Tenho pouca oportunidade de interromper. Há um misto de delírio, elaboração e limpeza do ódio, revolta e ressentimento de um mundo que havia sido adverso para ela desde o

---

* Trabalho publicado nos *Arquivos de Psiquiatria, Psicoterapia e Psicanálise da Fundação Universitária Mário Martins*. 1995. 2: 81-86. Apresentado no XIX Congresso de Psicanálise realizado em Recife de 01 à 04/10/2003.

Nota explicativa

Este trabalho é uma continuidade do anterior, acrescido dos conhecimentos aprendidos nos inúmeros seminários de técnica e supervisões individuais sobre as contribuições de Bion que envolviam o conceito de *reverie* e de memória sem desejo. Foi seguido de reflexões pessoais sobre a natureza conservadora da vida.

Foi um treinamento rico para compreender a produção mental e ações sintomáticas do paciente, com a maior isenção possível de minha realidade psíquica. Foi necessário para ver e entender os fatos psicanalíticos isentos de pré-concepções. Já era um indício de minha tendência para a pesquisa.

nascimento, quando os pais queriam um menino, e não uma menina. Sentia que as pessoas a perseguiam.

Eu a ouvia e sempre me colocava junto dela, quando concordava ou discordava, quando a compreendia ou não a compreendia.

Ao final de cada sessão, geralmente podia fazer uma intervenção verbal, fortalecendo sua crença em melhoras experimentadas. Ano após ano, sua análise foi mantida assim, impelida pela vontade da paciente de mudar e viver.

Mais recentemente produziu esse sonho: "Eu estava em um avião sem teto, que fazia piruetas e segurava no cinto de segurança deitada no chão. Não sentia medo. Depois, estava dando à luz uma criança e a parteira era minha irmã". Provavelmente, eu era o cinto de segurança e a parteira. A recém-nascida era ela, convicta da possibilidade de uma nova vida sem barreiras, sem tetos.

De fato, depois de oito anos de análise, está mais apta para escrever outra história pessoal.

Discussão

Apresentei uma vinheta clínica de uma paciente muito comprometida psicologicamente.

Primeiro ponto para discussão: seria recomendada análise para essa pessoa? No início da minha prática clínica, até que concordaria que seria duvidoso, mas hoje, passados os anos, tenho outra resposta. Aprendi que, havendo no paciente uma parte em busca de melhora da qualidade de vida e uma empatia recíproca com sintonia afetivo-positiva, a análise pode ser útil para a maioria desses pacientes.

Segundo ponto: refere-se à ausência da citação de autores e conceitos psicanalíticos clássicos nesse trabalho. Quando o nomeio *O silêncio do analista*, tenho em mente o esquecimento do aprendido.

Nos anos de formação e talvez antes, estava ávido para aprender a teoria psicanalítica e há um currículo com esse objetivo. Depois vem o interesse pela obra de um autor e depois outro.

Há mesmo um período de confusão entre eles e dedicamos mais estudo para sairmos dela. Comparamos suas obras e formamos convicções que acabam norteando nosso referencial teórico e técnico, só nosso. É como o pintor que aprendeu várias técnicas de pintar e descobriu, ao longo dos anos, a melhor para ele. Esse referencial é tão individual como são as impressões digitais, embora tenha fundamentos básicos psicanalíticos. Isso permite um estado de divergências compatíveis, como deve ocorrer em uma comunidade científica. O acabamento é dado pelo perfil psicológico de cada um.

Com o amadurecimento, vamos aprendendo que não podemos tratar todos os pacientes com o mesmo referencial e, para tanto, precisamos ter regras para não ter regras. Precisamos esquecer o aprendizado teórico e técnico para evitar encaixá-los em teorias aprendidas por nós. Esse silêncio pode ser e é quebrado, mas deve acontecer mediante a sintonia com o paciente, assim como o resto diurno está para o sonho e não a partir de uma angústia nossa. Esse silêncio é promotor de vida, porque dá espaço ao paciente para juntar as partes da sua realidade psíquica. O atual e o passado, o proibido e o permitido, o soma e o psíquico. Enfim, a casca e o cerne.

O caminho mais curto para obtenção dessa postura de silêncio total é o reconhecimento de nossa insignificância para compreender a realidade psíquica alheia, com uma história pessoal única e uma constituição orgânica e genética própria, em intercâmbio conosco.

Esse reconhecimento cria uma multiplicidade infinita de elementos componentes, uma fantástica rede de variáveis, que só iremos reconhecer dentro de uma disciplina técnica. Nesse contexto, o material para análise é tanto que todas as análises são intermináveis, principalmente a dos analistas.

Conclusão

A natureza organizadora e conservadora da vida permitem a certeza de que nosso analisando pode conseguir chegar além do ponto alcançado por ele desde que lhe propicie um *setting* adequado. Basicamente esse é constituído pelo trabalho interpretativo, a empatia e o manejo da relação com o paciente, acompanhado da crença de que promovem movimentos de vida e integração.

Para ilustrar o trabalho interpretativo, penso na queima de fogos de artifícios. Soltam-se vários foguetes com forma, coloração e som únicos, que estouram em tempos sucessivos de intervalos curtos, de tal modo que nunca estamos certos de qual aparecerá no céu no instante seguinte. Cá de baixo, ficamos olhando o espetáculo sem saber qual vai ser o próximo a envaidecer nossos olhos, diante de tanta e variada criatividade.

Na nossa área precisamos fazer o mesmo e, o mais importante, ajudar o paciente a fazer o mesmo, conhecendo-se verdadeiramente.

Para ilustrar o trabalho do manejo, penso na composição musical. Há uma sintonia entre o desejo de compor e o que compor. O intercâmbio entre ritmo, melodia e letra chega a uma forma final e afinada, pronta para ser ouvida e se fazer ouvida por outros, como se tivesse vida própria.

Nossos pacientes necessitam de empatia, interpretação e manejo, como pilares do nosso trabalho silencioso. A análise é um trabalho a dois e requer silêncio.

Capítulo III

Recentes confluências teóricas na Psicanálise e suas possíveis contribuições para a eficácia da prática clínica (2001a) *

Neste trabalho vou destacar contribuições de Tustin (1990) e Ogden (1989b), que considero importantes para o desenvolvi-

* Trabalho publicado na *Revista Brasileira de Psicanálise*. 2001. 35(3): 483-494. Apresentado no XVIII Congresso de Psicanálise, São Paulo, 2001.

Nota explicativa

Em 1997, o então Núcleo Psicanalítico de Belo Horizonte promoveu encontros científicos sobre a transferência. Coube-me apresentar o trabalho *Analisando a matriz da transferência-contratransferência* de Ogden (1986). Reconheço que o fiz com dificuldade devido ao inusitado do seu conteúdo, mas constatei que estava diante de um autor original que valia conhecer melhor. Continuei a ler seus trabalhos *Sobre o conceito de uma posição autista-contígua* (1989b), *O terceiro analítico: trabalhando com fatos clínicos intersubjetivos* (1996) e *Isolamento pessoal: o colapso da subjetividade e da intersubjetividade* (1996).

Devido à originalidade e a introdução de termos aos quais eu não estava acostumado, passei um bom tempo bateando os mesmos, adquirindo, aos poucos, familiaridade com sua escrita e conteúdo. Talvez seja assim com muitos outros colegas, os quais, pelas dificuldades mencionadas, não conseguem valorizar as contribuições desse autor, que possui uma experiência clínica invejável com pacientes psicóticos, além de sólido conhecimento teórico psicanalítico. Seus trabalhos são continuidades das contribuições de Tustin (1986, 1990) e de Winnicott (1962), autores inovadores na Psicanálise. A apreensão de suas contribuições foi quase um desafio pelo inusitado das mesmas.

Depois entendi que minha dificuldade estava relacionada à pertinência de suas contribuições teóricas com determinadas idiossincrasias minhas, que permaneciam sem meu entendimento apesar das duas análises feitas. Daí para frente, certamente tudo que consegui elaborar até os dias de hoje, teve como objetivo estender esse conhecimento de mim mesmo e, por extensão, de meus pacientes.

Durante seis anos, dediquei-me a essa tarefa, que incluía relacionar os fenômenos mentais com a Biologia a partir dos trabalhos dos autores citados. Mergulhei no estudo da origem do ego. Prossegui em busca desse objetivo, passando por considerações sobre a importância das sensações sensoriais na formação do ego e do funcionamento psíquico. Mantive-me alicerçado em duas frases lapidares de Freud, escritas durante seus anos de isolamento: "Quem sabe esperar não necessita faze conces-

mento da revisão do meu referencial teórico, técnico e clínico ao longo dos últimos seis anos. Essas contribuições referem-se às áreas do desenvolvimento emocional primitivo, da transferência-contratransferência, da intersubjetividade e da Neurobiologia. Iniciarei com material clínico ilustrativo.

Material clínico

Analisando grave, com 40 anos, aposentado, em análise há 8 anos. Uma sessão recente.

Chega no horário e chama minha atenção a cor rosada da face e dos braços. Ele percebe meu olhar e ainda de pé diz: o sol está muito forte. Logo caminha para o divã e senta-se.

Ele – Eu fui ao clube terça, quarta e quinta. Vi que não tinha nenhum impedimento e continuei indo. Sempre havia poucas pessoas lá. Em torno de quatro a seis. Pode ser pelo horário próximo à hora do almoço. (Silêncio) Quando eu mergulho, mesmo debaixo da água, ouço as vozes. Tenho chegado bem em casa, mas hoje, não sei se por causa do sol quente ou da pressão da

---

sões" e "O homem é forte enquanto carrega ideias fortes". Assim fui-me fazendo, procurando, aqui e ali, contribuições para levar adiante aquilo que eu ia compreendendo e começava a observar no meu trabalho clínico.

Procurei manter-me em contato com publicações de trabalhos de psicanalistas brasileiros, estrangeiros e de outras ciências, como a Psiquiatria, a Psicologia Experimental e a Neurobiologia.

Outro fato importante ocorreu por volta de 1995. Participei de um encontro científico do Núcleo Psicanalítico de Belo Horizonte com o Dr.Yusaku Soussumi, da Sociedade Brasileira de Psicanálise de São Paulo. Apresentou suas ideias sobre a relação da Psicanálise com a Neurobiologia, que eu já vinha absorvendo desde meu trabalho *O silêncio do analista* (1995).

Depois participei do encontro de psicanalistas com o Dr. Mark Solms, na cidade de São Paulo, sobre Neuropsicanálise. Essa abordagem interessou-me, desde que, como mostrei nos trabalhos precedentes, sempre estive voltado para a relação entre a mente, mais especificamente o ego e seu substrato anatômico.

Interessei-me pelo trauma físico e psíquico e as defesas empregadas pelos seres vivos, de natureza biológica e inata, sem distinção de espécie, em busca do prolongamento da vida e do autoapaziguamento para a angústia de morte ou da loucura. Comecei um capítulo de conhecimento que me levou aos dias de hoje, sem me distanciar dos princípios freudianos, mas indo além deles.

água no mergulho, senti como um desligamento dessa parte do corpo (orelha) para baixo, como se estivesse caindo.

Eu - Penso que tem mesmo a ver com a temperatura alta e a pressão da água (lembrei-me de suas impressões sensoriais exaltadas, sentidas por ele como objetos contundentes).

Ele - Estou mais animado. Estou tendo um avanço social. Na verdade, só falo com o porteiro quando chego e depois fico só observando as pessoas. Deve ser como os psiquiatras e os psicólogos fazem (desejei dizer para ele que eu não me portava assim, mas me detive, porque percebi que eu estaria me defendendo de uma referência não elogiosa). Ele continua: fiquei observando os coqueiros à margem da lagoa e me lembrei de um postal. Ao chegar a casa fui olhá-lo e dele passei para o livro de Geografia, que falava sobre umas ilhas francesas perto de Madagascar (ele fala o nome de modo incompreensível).

Eu - Não conheço essas ilhas (tento conversar com ele, como se estivesse fazendo uma costura com essas associações, provavelmente devido ao mal estar sentido com o sol forte e a pressão da água).

Ele - Mas já ouviu falar de Madagascar?

Eu - Sim, já ouvi.

Ele - (Depois de um silêncio) Fico pensando no meu comportamento mais reservado de não falar com as pessoas. Eu sempre fui assim. Só no início da adolescência, eu me entrosei com os outros, porque eu jogava futebol. Você sabe, é um esporte em que a gente se envolve (nesse momento, me dou conta de que estou no meu sítio, fazendo o churrasco dominical para a família e como em momentos me ocorrem rápidas indisposições devido o surgimento de existência de fantasias parricidas, filicídas e fratricidas. Guardo isto para mim e continuo conversando com ele, me dando conta de que entre nós dois está sendo criado um terceiro sujeito inamistoso).

Eu - Você interage. Dá a bola, recebe a bola, defende, ataca e há o corpo-a-corpo.

Ele - É. Todo esporte é uma atividade social. Eu estou achando bom. Há mais de um ano, eu não ia a esse clube, sempre fechado em casa.

Eu - Você diria defendido?

Ele - Defendido envolve ideia de perigo. Outro dia você me disse que eu estava me sentindo acuado.

Eu - Penso que é a mesma coisa. Reservado, defendido ou acuado (logo percebo que estou dirigindo a sessão e que ele pode estar me sentindo como contundente).

Ele - (Depois de um silêncio) Quero ver como me sentirei quando vier o novo horário. Você sabe que desde novembro, quando começou o horário de verão, eu tenho dois tempos. Dentro do meu quarto são quatro horas, mas fora dele são cinco horas e eu tive que acostumar com essa diferença. Agora vou igualar de novo e tenho que pensar que quando, por exemplo, minha sessão aqui for às quatro horas, lá no meu quarto serão, também, quatro horas.

Eu - Penso que você me sentiu invasor com minha fala e está me dizendo de um desligamento e uma costura, como me mostrou no início da sessão, quando me disse do desligamento do corpo pela temperatura alta e a maior pressão da água.

Ele - Você está falando de costura, costura mesmo, que envolve um pano, ou de uma costura abstrata?

Eu - Abstrata que tem a ver com a continuidade de vida, a mesma a que você se referiu quando deu continuidade às suas idas ao clube, porque não ocorreram impedimentos (noto que seu olhar fica mais brilhante e interessado e eu estou mais desembaraçado).

Ele - Quando eu tive aquele colapso (me lembrei da ocasião), tive a visão de uma máquina de costura, que ia e voltava, fazendo uma costura e ouvia uma voz, que dizia: "eles estão trabalhando para você".

Eu - Sim, era uma visão e uma voz para te apaziguar, diante do medo de se desfazer durante o colapso (percebo que ele quer falar mais e eu quero ouvi-lo).

Ele - É, tem a ver com aquele inseto, do qual tenho lhe falado.

Eu - A aranha que tece a teia.

Ele - É, tece a teia e eu fico admirado. Veja você o que os meus sobrinhos me fazem. Eles ligam a televisão para ver aquele filme de ficção, que, também, está nos livros, exatamente quando eu estou lá. Sempre admirei aquele homem, que ora está no seu laboratório e ora está andando pelos edifícios.

Eu - Você está falando do homem-aranha?

Ele - Sim. É uma invenção que me toca.

Eu - Um personagem universal, que fala alguma coisa para homens e mulheres, adultos e crianças, sadios e doentes. Mas estamos na hora (sinto-me satisfeito e intuo o mesmo com ele). Despedimo-nos cordialmente.

Comentários sobre a sessão

A chegada do analisando no horário e seu caminhar direto para o divã, onde se senta, leva-me a pensar que estava tudo bem entre nós. Menciona seus êxitos, as idas seguidas ao clube e a reação estranha às vozes que ouviu ao mergulhar na água e o desligamento do corpo, ao chegar à sua casa. Entendi essas últimas, como resultado de experiências sensoriais traumáticas, que ferem a superfície tocada. Têm o efeito de um "troar de um trovão ou uma pancada", segundo Winnicott (1962). Poderia lhe dizer que ora se sente mais coeso e ora desfeito.

Passa a falar do pouco contato com as pessoas e do comportamento dos psiquiatras. Senti me acusado de bisbilhoteiro-intruso.

Prosseguiu fazendo associações ou costuras para se defender do modo angular de como me sentiu (bisbilhoteiro) e da acusação feita. A pronúncia das ilhas francesas sai ininteligível para me afastar. Diz, então, do seu comportamento mais retraído, que o marcou desde cedo.

Aí me vejo no meu sítio fazendo o churrasco dominical familiar, com um leve mal estar e ao deparar fantasias minhas de parricídio, filicídio e fratricídio passo a entender o seu retraimento em função das mesmas. Um terceiro sujeito analítico foi criado pelo interjogo de nossas intersubjetividades (analista-paciente bisbilhoteiro-homicida) e a nos comandar. Ao identificá-lo, consegui passar do revide para o entendimento.

Na sequência, sem pensar, uso uma palavra específica da posição esquizoparanoide: defendido. Ele me diz que já fiz isso antes, usando outra palavra: acuado. Insinua, assim, que estou a dirigi-lo e isso o intimida. A confirmação vem quando faz menção à separação dos dois horários. O dele que conserva e o de verão, que o invade. E como será quando não puder fazer mais essa separação? Ou seja, quando não puder separar o analista bisbilhoteiro-homicida (posição esquizoparanoide) do analista-auxiliar (posição depressiva), o qual o ajuda pensar sobre si mesmo. Mostro que me sentiu angular (de fato eu fui embora tenha identificado o terceiro sujeito analítico, agora subjugador, quando quero conduzir a sessão). Minha fala ameaçou seu sentimento de continuidade, ocorrendo um desligamento, como sucedera pela manhã, em casa, quando sentiu seu corpo se desligar das orelhas para baixo. Digo-lhe que ele vive fazendo desligamentos e costuras.

Ele logo se interessa em saber de quais costuras falo. São as mesmas de um pano? Digo-lhe que é uma costura com um substrato. É orgânica e psíquica. Tende a refazer o sentimento de coesão e continuidade, o mesmo que o levou a ir seguidamente ao clube.

Ele percebe que estou entendendo-o. Lembra-se da visão da máquina de costura e da voz que lhe dizia: "eles estão trabalhando para você". São as defesas auto-apaziguadoras, que trazem a possibilidade de viver a loucura sem o colapso. Logo é remetido ao inseto sempre presente no seu quarto. É a aranha que tece a teia. É como o homem-aranha. Esse, também vive desligando e costurando. Ora está no seu laboratório, ora está escalando os edifícios, pelas teias que fabrica e arremessa.

Interessei-me por esse personagem e sua história pessoal. Ele perde os pais muito cedo e vai ser criado por uma tia. Mais tarde, trabalhando num laboratório, ele é infectado pelo veneno de uma aranha e adquire a possibilidade de criar teias pelas pontas dos dedos, com as quais auxilia as pessoas em dificuldade.

Isto é, a partir de uma necessidade de se tecer, a partir de um início de vida precária, ele passa a tecer para as outras pessoas e representa, assim, um personagem universal, imitado por muitos. Porta o dom de resgatar a esperança de que é possível substituir a ruptura pela ligação, a fragmentação pela integração, a loucura pela sanidade e a morte pela continuidade.

Sobre o desenvolvimento emocional primitivo

Freud (1905 d), Klein (1932), Winnicott (1962) e Mahler (1952) tentaram sistematizar o desenvolvimento emocional e sua maturação. Na clínica estamos convencidos da importância dialética dessas contribuições, que se complementam, não se excluem.

Ogden (1989b) formulou a partir de longa experiência clínica e estudos teóricos com pacientes psicóticos, uma etapa do desenvolvimento emocional, que nomeou de posição autista-contígua, anterior à posição esquizoparanoide de Klein e ao falso *self* de Winnicott, contendo angústias e defesas próprias. Como a proposição do terceiro sujeito analítico, considero essa formulação outro desenvolvimento teórico importante.

Para ele, o vocábulo autista designa a mais primitiva organização psicológica. Contígua nomeia uma experiência que acontece entre duas superfícies que se tocam.

Dependendo da qualidade dos objetos envolvidos ocorrem experiências macias e experiências angulares traumáticas. Quando as macias seguem um ritmo pendular, com intensidade constante, semelhante às programadas pela filogênese, elas dão origem aos rudimentos da formação do ego, aos sentimentos de "quem sou" e "onde estou", de um lugar de onde se vive e cuja continuidade dá a noção de continuar sendo. A superfície onde ocorrem estes processos, Grodstein (1987) chamou de "assoalho sensorial".

Freud (1923b) postulou: "O ego é, primeiro e acima de tudo, um ego corporal...", isto é, um ser corpóreo, orgânico e com uma materialidade. Em 1927 escreve: "Isto é, o ego em última análise deriva das sensações corporais, principalmente das que se originam da superfície do corpo. Ele pode ser assim encarado como uma projeção mental da superfície do corpo, além de, como vimos acima, representar as superfície do aparelho mental". Winnicott (1988) acrescenta: "uma espiritualidade resultante da elaboração imaginativa, que deve ser considerada existente em todos os níveis de proximidade do funcionamento físico".

Podemos intuir que nesse início há um componente orgânico - superfície sensorial - e um componente psíquico - uma elaboração imaginativa. Tudo que afeta a coesão de um, afetará a do outro. Segundo Ogden, as experiências traumáticas geram uma consciência incipiente de falta de continuidade orgânica - morte - e de fragmentação psíquica - loucura -, causadoras de intensas angústias. A palavra trauma em grego significa literalmente ferida. Para pacientes graves, um barulho de intensidade média pode ser sentido como um estouro e uma palavra como um sinal trágico.

Para fazer frente às angústias da posição autista-contígua, a vítima produz defesas para se auto-apaziguar. São incontáveis e até então não descritas, bastante frequentes em todos os pacientes. Podemos mencionar:

a - os sintomas psicóticos (alucinações, delírios, retraimento esquizoide, catatonia, despersonalização, bloqueios de pensamento, etc.);

b - os sintomas neuróticos (atos e ideias repetitivas, fobias, estados de pânico, etc.);

c - os sintomas psicossomáticos (constipação intestinal, asma brônquica, ejaculação precoce ou retardada, frigidez, etc.);

d - as perversões (exibicionismo, sadismo, etc.);

f - alguns tipos de comportamento (falar ininterruptamente, olhar fixamente, adiamentos sucessivos, tarefas inacabadas, masturbar-se compulsivamente, as adições a drogas, alimentos, medicamentos e outras, etc.).

Essa compreensão pode auxiliar no tratamento, ao abordar de forma delicada condições iniciais de vida. Favorece o entendimento de nosso papel como segunda pele para o analisando (Bick, 1986) e para as "identificações adesivas", segundo Meltzer (1975).

Sobre a transferência, contratransferência e a intersubjetividade

Os conceitos de transferência (Freud, 1912) e contratransferência (Heimann, 1950 e Racker, 1952) tornaram-se instrumento central da técnica psicanalítica e constitui uma referência para qualificar um trabalho como psicanalítico.

Os dois fenômenos têm por base a subjetividade do sujeito-analista e do sujeito-paciente e são constituídos pela realidade psíquica de cada um. Uma evoca a outra de modo recíproco.

Portamo-nos como o elemento passivo da dupla, disponível para sermos habitados pelo paciente. Ele cria um sujeito dentro de nós, que tem a ver com a sua subjetividade e a nossa. Cria-se um terceiro sujeito. É um conceito relativamente novo. Ogden (1996) o definiu, ao formular sua teoria sobre o terceiro sujeito analítico, como desenvolvimento dos postulados anteriores de Winnicott - *holding,* Bion - *reverie,* e Kohut - empatia.

Para ilustrá-lo, vou utilizar o material clínico exposto.

Quando meu paciente me acusa de bisbilhoteiro está, por identificação projetiva, colocando dentro de mim uma parte sua. Na verdade, foi ele quem observou tudo no clube, como o porteiro, o número de pessoas, etc. Por isso, ele não se censurou. Para ele os psiquiatras são indiscretos e invasores porque no seu referencial, vão além e entram na intimidade das pessoas. De fato, reconheço que entrei em sua intimidade quando dou conta da existência das fantasias homicidas em mim e certamente nele. Eu pude identificá-las pelo levantamento de uma repressão dentro de mim e fiz um uso terapêutico dessa identificação. Ele, ao contrário, está incapacitado e precisa livrar-se delas, como se livra de suas matérias fecais por serem consideradas sujas. Não pode tocá-las e quando postas para fora, devem ser carregadas para longe. Assim, o desejável é não ser bisbilhoteiro e sim ignorante de sua realidade psíquica. Os psiquiatras é que são bisbilhoteiros - acusação que, num primeiro momento, senti como denegridora e me contrariou. Criou-se o terceiro sujeito analítico (analista-paciente bisbilhoteiro- homicida), que tem a ver com a subjetividade do paciente e com a minha. Mais com a dele do que com a minha. Esse terceiro sujeito presidiu nossa relação e eu o imobilizei e o mortifiquei tomando-lhe as iniciativas na sessão até o momento que ele me contestou.

Coube a mim, como analista, detectar a existência desse terceiro sujeito para me transformar em sujeito auxiliar, permitindo o entendimento de sua e da minha realidade psíquica e poder estabelecer uma assimetria horizontal que soma, em oposição a uma assimetria vertical que conduz ao ataque e à defesa, conceitos fundamentais e recentes, desenvolvidos por Assis (1999). A continuidade da sessão nos levou a uma parceria e daí até o final foi um clima gostoso de quero mais.

Outra forma de ilustrá-lo é tomando a experiência de ilusão do recém-nascido, descrita por Winnicott (1958). Esse, levado por um estado físico de fome, ativa uma superfície sensorial. Ocorre esse registro pela presença de uma consciência incipiente, capacitada por uma função elaboração imaginativa (Winnicott, 1958) rudimentar. A fome torna-se um sujeito contundente e o recém-nascido reage, chora, grita em níveis viscerais e em nível psíquico procura a solução auto-apaziguadora pela alucinação. Ele alucina a existência do seio, sem poder precisar se está dentro ou fora dele ou entre ele e a mãe, porque não tem, ainda, os limites cognitivos do eu e do não-eu. O seio é, ainda, amorfo, sem contornos, consistência e temperatura definida. Se o bebê não tem sucesso nessa realização, entra na agonia impensável, própria dos estados de iminência da extinção da existência. Vem o pânico e o horror e ele redobra o choro na tentativa desesperada de colar a superfície sensorial rompida. O êxito desse esforço está na existência de um segundo sujeito, da mãe. Essa, colocada a serviço do bebê, decodifica seu choro e lhe oferece o seio. Daí Winnicott dizer que não existe um bebê sem a mãe e vive-versa. Sem uma subjetividade não existe a outra. O seio oferecido dá ao bebê a ilusão de tê-lo criado. Esse é o terceiro sujeito criado com uma subjetividade própria, que tem mais a ver com a subjetividade do bebê do que com a da mãe, e que vai comandar a qualidade da mamada.

Ogden (1996) afirma que "o processo analítico reflete a inter-relação de três subjetividades: do analista, do paciente e do terceiro analítico. Este é uma criação do analisando e do analista, ao mesmo tempo em que esses são criados pelo terceiro analítico – não há analista, paciente ou análise na ausência do terceiro analítico". Ele continua: "Se quisermos ser analistas num sentido pleno, teremos de tentar conscientemente fazer inclusive esse aspecto de nós mesmos participar do processo analítico".

O terceiro sujeito analítico é mais que a contratransferência. É um conceito que remete a uma terceira subjetividade, que tem muito mais da subjetividade do paciente do que da do analista, sendo que essas nunca mais serão as mesmas de antes da criação do terceiro sujeito analítico.

Sobre a Neuropsicanálise

Um grupo de psicanalistas, psiquiatras e psicólogos (Arlow, Brenner, Kernberg, Schore, Nersessian, Pally e outros) e neurologistas (Solms, Panksepp, Damaso, Schwartz, Hobson e outros) associaram-se para estabelecer os fundamentos da Neuropsicanálise.

Freud (1950 [1895]) foi o primeiro a tentar essa articulação, quando escreveu *Projeto para uma Psicologia Científica*. Procurou estabelecer as bases orgânico-cerebrais para os fenômenos psíquicos que ia descobrindo. Abandonou o projeto por achá-lo inviável.

Recentemente, Solms (2000) escreveu:

> "O esforço central da Neuropsicanálise é descobrir os correlatos neurológicos dos nossos conceitos psicanalíticos básicos, de modo que possamos abrir a metapsicologia de Freud a todos os benefícios que os métodos da pesquisa neurocientífica podem prover. Parece claro, eu penso, que a metapsicologia começou a chegar aos seus limites. Como ela se baseia exclusivamente no método psicanalítico precisamos de novos meios de aprimorar nossos modelos psicanalíticos, de decidir entre questões divergentes, clarificar questões confusas, ir além dos impasses. Os novos métodos neurocientíficos proporcionam poderosas ferramentas para fazer isto. Essa é a principal razão por que é útil, para nós, tentar traduzir os modelos funcionais de Freud em termos neurobiológicos modernos. Estabelecer correlação desse tipo não é um trabalho fácil. É uma complicada tarefa empírica, que requer o desenvolvimento de métodos interdisciplinares adequados. Nesse processo de tentar estabelecer essas correlações, não será surpresa que alguns aspectos dos modelos psicanalíticos de Freud podem não ser conciliáveis com nossos recentes conhecimentos da organização funcional do cérebro (tradução do autor)".

Solms termina seu trabalho mostrando entusiasmo e reservas quanto à metapsicologia no século XXI, achando que não podemos deixar de lado os conceitos firmados sobre o funcionamento das nossas mentes, a menos que novas teorias façam justiça às complexidades dos nossos estudos. Julga existir uma euforia com as recentes descobertas das Neurociências, enfatizando a necessária humildade e os engenhosos esforços para encarar os mistérios da vida humana subjetiva.

Não é possível, no escopo desse trabalho, pormenorizar essas descobertas. Um ponto está definido. A Psicanálise, mais que a Psiquiatria Biológica ou a Psicologia Experimental é a que mais pode contribuir com as Neurociências.

Nós precisamos estar abertos para esses desenvolvimentos. Existem indicações clínicas de contestações à teoria estrutural, teoria dos sonhos, dos afetos e motivações, bem como à repetição e à resistência.

Sobre minha prática clínica

Como dito, essas contribuições têm reformulado minha prática clínica ao longo dos últimos três anos. A análise das angústias e defesas da posição autista-contígua me permitiu um entendimento novo da etiopatogenia de várias psicopatologias com resultados terapêuticos melhores.

Auxiliaram-me compreender a articulação dialética das posições autista-contígua, esquizoparanoide e depressiva, geradoras de experiências psíquicas, recriando a condição básica para a retomada da maturação emocional saudável.

Também a origem e maturação do ego, a partir da experiência da superfície sensorial, que confirmaram a importância de o analista ser macio, como uma segunda pele (Bick, 1968) e a necessidade de manter o movimento pendular rítmico do processo analítico.

A intersubjetividade ampliou meu conceito, anteriormente restrito, de transferência e contratransferência e o entendimento da importância clínica do terceiro sujeito analítico. Meu trabalho hoje busca a assimetria horizontal em oposição à assimetria vertical.

Passei a valorizar a interpretação interpessoal, tanto quanto intrapessoal. A ênfase no aqui e agora ao lado das construções pessoais se tornou importante quando tomado como fato psicanalítico vitalizado e não apenas lembranças cognitivas.

Esse referencial permitiu-me paciência e tolerância com o paciente e comigo. Isso previne o risco da análise selvagem, habitualmente iatrogênica, porque conduz o paciente à subjugação, à doutrinação ou à dogmatização. Ao contrário, a interpretação reflexiva interpessoal leva ao conhecimento do terceiro sujeito analítico, ponto de partida para qualquer construção.

As Neurociências têm contribuído para o entendimento do *setting* analítico. Ensina-nos que a natureza é conservadora e sábia. Só dá um salto quando há uma condição bem testada e ensaiada. Dessa forma processa-se o desenvolvimento do sistema nervoso dos seres primitivos até o homem. Uma estrutura só dá lugar à outra mais desenvolvida, quando existe uma garantia de continuidade da experiência. Isso não significa que a anterior desaparece. Na natureza nada se cria nada se perde tudo se transforma. Ela é conservadora e processual. O anterior vai seguir vida afora, mantendo sua vitalidade, até a morte física.

Na esfera psíquica não é diferente e esse entendimento me leva a compreender a compulsão à repetição como repetidos ensaios para dar um salto. Assim se processou a última aquisição do homem. A constituição de uma mente que o diferencia do animal, que mais reage. Essa compulsão à repetição, compreendida, também, a serviço dos processos de vida, nós dá mais tranquilidade para vê-la suceder sem aflição, corretivos ou conselhos. O analisando precisa ensaiar e nós, também, para irmos mais adiante. Nós somos o seu meio por aonde ele irá se reformular e se fazer novamente.

A resistência é mais uma força que se opõe ao salto e a soma dessas compreensões minimiza a importância dos atrasos, das faltas, silêncios, postura sentada ou deitada.

Os saltos são processos lentos, que só se efetuam em ambientes físicos e emocionais favoráveis, que requerem do paciente e principalmente do analista, essa compreensão da sua natureza. A ênfase foi deslocada das angústias ligadas à perpetuação para as angústias ligadas à sobrevivência.

Essas aferições me conduzem à certeza de que todo desenvolvimento do paciente passa pelo analista e o seu maior instrumento é a sua análise pessoal. Ele é o *setting* e o processo analítico. Precisa estar sempre vitalizado, desfazendo-se da saturação dos dogmas e tornando seu trabalho entre quatro paredes uma constante e audaciosa aventura, em cada minuto, com cena e emoções novas.

Somos filhos da filogênese e da ontogênese e devemos nos dar por satisfeitos se estamos conseguindo propiciar ao paciente um sentimento crescente de coesão e continuidade para os seus processos de maturação, obstruídos em alguma época da sua vida.

Capítulo IV

Psicanálise, Neurobiologia e Posição autista-contígua: contribuição para o desenvolvimento na teoria e na técnica psicanalítica (2001b)*

Neste trabalho dou continuidade ao estudo das concepções de Ogden expostas no trabalho anterior (Salim, 2001a) sobre conceito de uma posição autista-contígua. Vou acrescentar noções da Neurobiologia sobre o trauma biológico, que me permitiram mudanças nos conceitos clássicos de resistência, repetição, primitivo e elaborado e sintomas obsessivos compulsivos.

Sobre o artigo *O conceito de uma posição autista-contígua*

Ao comentar esse trabalho meu propósito é somar. É de rara beleza e profundidade que vem modificando meu referencial teórico-clínico à medida que vou entendendo os fatos diários da clínica sob sua ótica.

Ogden (1989b) define a posição autista-contígua como uma organização psicológica primitiva, capaz de gerar experiência

---

* Este trabalho está publicado em *Casos Clínicos em Psiquiatria*. Belo Horizonte. COOPMED Editora Médica. 2001. 3 (1 e 2): 26-30. Foi publicado posteriormente pela *Revista Psicanalítica do Rio de Janeiro*. 2002. 3,1: 48-62.

Nota explicativa

Contém um estudo detalhado da contribuição de Ogden (1989b) sobre o conceito de uma posição autista-contígua. Este conceito marcou o início da minha revisão teórica do estudo do desenvolvimento psíquico até então referenciado pelos paradigmas teóricos vigentes.

A partir desse estudo, estou mudando, em parte, meus conceitos teóricos e técnicos sobre resistência, repetição, primitivo e elaborado, trauma psíquico, transferência e contratransferência, forma e conteúdo de uma sessão ou de uma fala e articulação fina entre biológico e psíquico.

psíquica a partir de percepções sensoriais, que contribuem com a posição esquizoparanoide e depressiva para a constituição dialética do ser humano entre o psiquismo mais primitivo e o mais elaborado.

Na posição autista-contígua, as experiências sensoriais oriundas de objetos com as superfícies sensoriais, buscam formar conexões pré-simbólicas a partir das quais o ego se origina.

O vocábulo autista é usado para designar a mais primitiva organização psicológica. Já a palavra contígua nomeia a experiência que envolve duas superfícies sensoriais que se tocam.

Não há um sujeito que interpreta, como na posição depressiva, nem mesmo o ego rudimentar da esquizoparanoide. Existe, apenas, a noção de uma superfície sendo tocada e, dependendo do ritmo, regularidade e intensidade desta experiência, começam o sentimento de lugar, de forma, de continuidade e de previsibilidade do ser, do existir. Em síntese: onde estou e como sou.

Essas experiências ocorrem no contato com a mãe no banho, nas mamadas e nas conversas, e durante os deslizamentos dos seus conteúdos corporais, como a saliva, as fezes, a urina e o ar entrando e saindo. Dão início ao que Winnicott (1958) chamou "de um sentimento de um lugar onde se vive" e cuja continuidade dá a noção de "continuar sendo" [*going on being*].

Ogden (1989b) intui, entre suas referências, a noção de dois modos diferentes de experiências, dependendo da qualidade do objeto envolvido, conforme Tustin (1980).

Existem experiências do toque macio entre seus elementos e os da mãe sobre suas superfícies sensoriais, que contribuem para o seu sentimento de coesão do ego. Em oposição, há a experiência com objetos duros, angulares, que contribui para a formação de uma crosta dura. Tudo é diferente e anterior ao falso-*self* de Winnicott (1962).

Ogden (1989b) ilustra suas concepções com material clínico, que segue resumido:

a) Roberto, cinco anos em psicoterapia intensiva, adolescente esquizofrênico e cego de nascimento. Negava-se a banhar-se e exalava um odor insuportável. Assustava-se ao banhar-se por ter medo de "escoamento".

Comentário: tentava segurar-se à sensação do próprio odor corporal característico, o que era de particular importância para ele ante a incapacidade de formar imagens visuais adequadamente definidas. Seu odor constituía uma forma autista reconfortante que o ajudava a criar um lugar no qual ele podia sentir que existia. Esse odor, através de sensações corporais, oferecia-lhe os rudimentos para sentir-se alguém, ter uma coesão. Era o "toque do odor".

b) Senhora M., de 62 anos de idade, há oito anos em psicoterapia intensiva. Tentara o suicídio, quase com êxito, para livrar-se dos seus torturantes rituais obsessivos. Temia, particularmente, perder a respiração e se asfixiar. Aliviava-se, apenas, nas ocasiões em que conseguia "pensar adequadamente".

Comentário: ao invés de entender a sintomatologia para protegê-la dos intensos medos dos impulsos orais e anais sádicos, compreendi tais rituais como uma cinta para tamponar buracos. Através destes, suas ideias e conteúdos corporais poderiam vazar e ocorrer um escoamento do pouco que pôde organizar.

c) Phil era um paciente esquizofrênico que se deitava no chão e imitava meus gestos, minha postura, minhas palavras, meu tom de voz etc.

Comentário: no início do tratamento, senti estas atitudes como um ataque a mim, pelo fato de estar vivo. Buscava roubar minha naturalidade. Depois passei a entender que a imitação era a busca de uma segunda pele. Desta forma ele se sentiria com menos medo de perder sua coesão.

No final do trabalho, há os seguintes comentários de Ogden:

1 - A angústia básica nesta posição está relacionada à disrupção da superfície sensorial, seguida do medo do vazamento do pouco que pôde integrar de ego. Geram sentimentos de estar em decomposição, sensação de que os esfíncteres corporais estão falhando com vazamento de fezes e de urina, medo de cair sem fim no espaço ou no estado de sono, de não saber onde estar, ter imagens distorcidas de si mesmo, sentir odores estranhos, não tolerar barulhos intensos ou não-familiares, temer o vento forte, a luminosidade intensa, prazos marcados e outros.

2 - As defesas produzidas são orientadas para o restabelecimento da continuidade da superfície sensorial. Incluem o enrolar os cabelos com os dedos, movimentar em balanceio os pés ou as mãos, o corpo ou a própria fala, entoar canções, imaginar ou produzir várias ideias obsessivas, manter o olhar fixo e contínuo, a masturbação excessiva, a obesidade, o falar ininterruptamente, o não tolerar fixação de prazos, o cobrir excessivamente, ouvir sempre as mesmas músicas, ler os mesmos livros, ir aos mesmos lugares e outros. O autor considera essas defesas como formas autistas de apaziguamento. Todas têm um sentido de obter uma "segunda pele", conforme Bick (1968, 1986).

3 - Há uma articulação entre essas ideias com a psicopatologia e a etiologia dos distúrbios mentais, como resultante de distorções na inter-relação entre posições autista-contígua, esquizoparanoide e depressiva, que articulam entre si para permitir ao bebê sair de uma condição sem história para outra com historicidade, e de uma condição pré-simbólica ou assimbólica para outra, simbólica.

Construindo meu referencial

Além das concepções de Ogden (1989b), interessei-me pela recente interdisciplinaridade da Psicanálise com a Neurobiologia. Essa aproximação me levou a repensar e reformular meu referencial teórico e técnico, tudo fundamentado em Freud.

Entre nós, Soussumi (1999) e Andrade (2000) e outros têm procurado desenvolver essa interdisciplinaridade.

O básico consistiria em pensar nas primeiras experiências sensoriais do ser humano. Essas decorrem sempre do contato entre uma superfície sensorial, como a mucosa intestinal e um objeto, por exemplo, as fezes, ou a pele do feto com o líquido amniótico, a língua com a mucosa oral, a mucosa do aparelho auditivo com o barulho dos batimentos cardíacos fetais e as experiências sensoriais durante as mamadas, os banhos, as conversas com a mãe e outras.

Essas experiências sensoriais, ocorrendo em várias partes do corpo, acabam estruturando o que Grodstein (1989b) chamou de "assoalho sensorial". Se elas ocorrem de acordo com um ritmo e intensidade já programados pela filogênese, permitem uma organização rudimentar do ego, gerando uma organização psicológica com ansiedades e defesas, que vão existir indefinidamente na vida de uma pessoa.

Freud (1923) escreveu: "O ego é, primeiro e acima de tudo, um ego corporal; não é simplesmente uma entidade de superfície, mas é, ele próprio, a projeção de uma superfície". Em nota de rodapé, acrescentada posteriormente, escreve: "...isto é, o ego, em última análise, deriva das sensações corporais e, principalmente, das que se originam da superfície do corpo além de, como vimos acima, representar as superfícies do aparelho mental".

Ao nascermos, certamente passamos pela primeira experiência de ruptura de uma superfície sensorial e o ego, seu representante psíquico, ainda com uma organização precária, vê-se envolvido por miríades de experiências sensoriais duras ou angulares, provenientes de várias áreas (auditivas, táteis, gustativas, olfativas e visuais) extremamente perturbadoras para o recém-nascido.

São sensações de aniquilamento, desintegração, vazamento e queda. É um fenômeno chamado de politraumatismo do nascimento. Esse necessita ser minimizado, e sabemos que há uma crescente preocupação e empenho nesse sentido. O apaziguamento é possível graças a sua transitoriedade, porque logo se apresenta uma "segunda pele", conforme Bick (1968, 1986) e "mãe suficientemente boa" (Winnicott).

Freud (1923) escreveu: "No homem, o nascimento proporciona uma experiência prototípica desse tipo, e ficamos inclinados, portanto, a considerar os estados de ansiedade como uma reprodução do trauma de nascimento".

As lembranças desse se fazem presentes principalmente em sonhos, em doenças mentais e em certos acontecimentos da vida cotidiana. A perda de um ente querido ou o aparecimento de uma enfermidade grave levarão à ansiedade própria da ruptura de uma superfície sensorial.

Penso podermos dar um passo além e dizer que esse protótipo remonta à vida intrauterina, desde que nela tenha ocorrido uma experiência traumática.

É preciso esclarecer o que penso em termos de experiência traumática. Trata-se daquela experiência capaz de promover uma ameaça de ruptura da superfície sensorial, de modo que por meio dessa possam vazar as fezes, a urina e, o mais fundamental, as representações psíquicas já constituídas, impedindo uma continuidade do estar sendo e a solidificação do sentimento do que sou e de como estou.

A tradução da palavra grega trauma é literalmente ferida. A superfície sensorial é ferida por um objeto angular e passa a haver um representante psíquico (elaboração imaginativa), segundo Winnicott (1962) da mesma, gerando uma consciência incipiente de desintegração (loucura) e extinção (morte). A ansiedade básica aqui é a de preservação da vida. Não há espaço para a preocupação com a propagação da espécie. O sofrimento chega a ser tão grande, que a vítima deseja a morte, embora esteja procurando sobreviver.

A essas experiências traumáticas a pessoa responde com defesas, em busca da preservação e do autoapaziguamento. Encontramos então a imitação, a crosta, as defesas obsessivas, segundo Ogden (1989b), e às quais eu acrescentaria o congelamento, a inércia, a indiferença afetiva e a vida bruta como identificação com o objeto angular. Destacaria mais a inércia, uma tendência geral para a quietude, e que precisa ser golpeada para vitalizar-se. Isso explica, a meu ver, os vínculos amorosos sadomasoquistas, os fenômenos psicossomáticos e psicóticos (ideias, alucinações persecutórias e outras). O parceiro, a dor física e o medo persecutório atuam como objetos angulares para desfazer a inércia, gerando, no entanto, um ciclo vicioso. O paciente vai buscar a inércia novamente como defesa. Todas as defesas têm a finalidade de cicatrizar a ferida da superfície sensorial. Por exemplo, nas defesas obsessivas a repetição é uma tentativa de aumentar a superfície sensorial, emendá-la, funcionando como um esparadrapo sobre uma ferida. Revela-se no olhar fixo, na fala ininterrupta, na masturbação compulsiva, na obrigatoriedade da lembrança de um nome.

O paciente entra na angústia maior ante a consciência incipiente de sua finitude e do sentimento de incompletude. Nada pode ter um prazo final, porque na sua realidade psíquica o que vem a seguir é a catástrofe. Ele necessita reter as fezes, urina, saliva, sêmen e fluxo menstrual, assim como os conteúdos organizados do ego, como obra sua. Dessa maneira, ele vive adiando até não poder mais, sustentando-se na esperança de que não exista um fim. O amanhã não virá. Tanto na esfera orgânica como na esfera psíquica ocorrem sintomas dessa angústia (ejaculação retardada, constipação intestinal, frigidez, pensamentos interrompidos, esquecimentos repetitivos e outros). O ego saiu de sua continuidade existencial.

Nossa ontogênese está inserida num invólucro maior, a filogênese, que preside o desenrolar ou os batimentos de nossa maturação. É como um pêndulo, que tem o movimento de amplitude determinado, possui um ritmo, uma regularidade e uma velocidade. Na natureza os fenômenos vitais possuem esse movimento ritmado e as experiências sensoriais deverão obedecer-lhe para ativar a integração do ego. E na natureza nada se cria, nada se perde e tudo se transforma. Ela é conservadora e processual, busca novas formas, mas não se desfaz das adquiridas. Sendo assim, a Neurobiologia nos ajuda a entender que o *establishment* neurológico só admite novas estruturas quando as anteriores estão bem estabelecidas. É essa articulação dialética e sincrônica que vai determinar a vitalidade e a sanidade dos processos de vida, cuja tendência é aglutinar e formar o *establishment*, sem o qual, obviamente, não se partirá para o novo. Neste sentido, parece que a mente foi o último salto da natureza, dotando o homem com seus lobos frontais e pré-frontais. Os primeiros modos de organização da experiência psicológica perpetuam-se ao longo da vida. A esses, Ogden (1989b) chamou de modelos da posição autista-contígua, afirmação que desenvolvo nesse trabalho, entendendo-a como anterior à posição esquizoparanoide e depressiva, mas articulada a estas.

Caso clínico

Paciente com vinte e cinco anos, fazendo duas sessões semanais, está há oito anos em tratamento. Procurou-me porque ouvia e dialogava com vozes ameaçadoras. Seus sintomas começaram quando ele se apaixonou por uma moça e foi correspondido por ela. Ele passou a ter um ciúme patológico, acompanhado por medo de retaliação advinda do pai dela. Passou a ficar trancado em seu quarto, intimidado pelas alucinações persecutórias. Interrompeu o namoro, os estudos universitários, as atividades sociais e iniciou a desativação do seu trabalho. Três anos depois, foi aposentado por insanidade mental (Esquizofrenia Paranoide).

Nesses oito anos, falou pouco da história pessoal e da história de sua doença. Algumas referências chegaram-me, esporadicamente, dadas por parentes que, até recentemente, desconheciam a gravidade de sua doença. Na atualidade apresenta-se melhor. Voltou a dirigir, a fazer caminhadas, a cuidar de si quanto à higiene e alimentação. O que me parece mais importante consiste em sua capacidade adquirida de fazer registros de suas produções mentais (sonhos, ideias etc.), o que possibilita um trabalho interpretativo dentro de suas possibilidades pessoais.

Recentemente ameaçou, com seriedade, interromper seu tratamento. Então, pudemos entender a razão: ele sentiu-se manipulado, de acordo com minha conveniência. Eu não tirei férias em julho, diferentemente dos anos anteriores. Para ele foi um mês difícil, pois houve o retorno de cheiros ácidos, insônia, audição de vozes e atrasos sintomáticos às sessões.

Após essa conscientização de como se sentiu manipulado por mim, teve uma melhora que perdurou até meados do mês. Nessa ocasião houve um feriado, na terça-feira, dia de sua primeira sessão da semana. Eis o relato da sessão de quinta-feira:

Ele chegou alguns minutos atrasado. Convidei-o a entrar. Ele o fez, entretanto, permaneceu de pé, olhando-me inquiridoramente. Ainda de pé, disse-me: "Esses foram dias difíceis para mim".

Sentou-se e falou: "Só para você ter uma ideia, um foguete estourou na rua e eu fiz este movimento, como se o foguete estivesse estourando dentro de mim".

O movimento foi de levar o braço e o ombro esquerdo para trás, como se houvesse ocorrido um forte impacto. Lembrei-me de Winnicott (1962) quando observava que, no início da vida, qualquer barulho, até das fezes, é sentido pelo bebê como um trovão. Sem entender o paciente, fico calado.

Depois de um breve silêncio, falou-me: "Quando saí daqui, quinta-feira, fui pensando em barese e, como sempre, fui à enciclopédia saber o que podia ser. Encontrei a palavra barestesia, que é algo como anestesia. Daí para frente, senti um frio imenso nas pernas, do joelho pra baixo, que não consegui andar até ontem de manhã, quando comecei a melhorar. Foi muito ruim. As pernas congeladas incomodaram muito.

Nesse momento, ocorreu-me a expressão "ficar gelado de medo" e o registro de que, quando ele vai à enciclopédia, está deixando de consultar a si mesmo sobre suas lembranças a respeito da palavra barese. Fez-me lembrar um jogador de futebol que, contratado caro, passou o tempo do contrato enganando a todos no time. (Houve alguma dificuldade minha para entender o vocábulo barese pela forma como ele o pronunciava.)

Disse-lhe, então: "Você foi tomado por um medo muito grande que o manteve congelado até às vésperas de nosso reencontro. Barese parece-me um nome próprio, e lembro-me de um jogador de futebol que tinha esse nome, que passou o tempo enganando no seu time. Você não pode estar sentindo que o enganei como ele fez"?

Paciente: É, acho que pode ser. Fiquei pensando, ao sair da sessão, na quinta-feira, no que você disse: "Agora vamos nos ver na próxima quinta-feira, porque terça é feriado e segunda não vou trabalhar. Eu vou viajar, mas, se você precisar, me telefone". Fiquei pensando como te telefonar se você ia viajar.

Analista: Para mim, está ficando claro por que você sentiu que o estava tapeando como o barese. Criei uma situação impossível: você me achar, quando estava viajando. Penso que você entendeu meu afastamento como se estivesse querendo me ver livre de você e me traísse com minha incoerência.

Ocorre um pequeno silêncio e eu volto a falar:

Analista: Na verdade, eu disse que na quarta-feira eu já estaria aqui e, se você precisasse, poderia me telefonar.

Paciente: É, não entendi bem.

Faz um breve silêncio e prossegue:

Paciente: Aconteceram três coisas esquisitas nesses dias. Meus pais estavam conversando na cozinha e achei que tinha um homem trancado no armário, olhando-os. Fiquei os quatros dias no quarto, de onde não saí por causa das pernas congeladas e aflito, achando que meus pais não estavam percebendo o que me acontecia.

Neste instante lembrei-me da cena primária, mas de maneira diferente. Ele era o homem que estava escondido no armário, no entanto, querendo ser encontrado pelos pais.

Prossegue:

Paciente: Também voltaram as impressões antigas de que todo mundo estava falando de mim e eu era alvo da atenção de todos.

Pensei nas ansiedades inimagináveis de Winnicott, quando o bebê sente a falta do *holding* para manter a continuidade e pode escorregar para a desintegração. Então, lhe disse:

Analista: Sim, você estava desamparado e queria ser encontrado.

Observo que, quanto mais conversávamos, ele ia ficando mais relaxado e desejoso de falar mais.

Há o prosseguimento:

Paciente: A última coisa foi muito estranha. Estava tomando banho e, à medida que os pingos de água tocavam a minha pele, ouvia vozes cantando uma música.

Ocorreu-me logo a lembrança de que certos toques na pele, por objetos macios, evocam uma sensação de bem-estar, de apaziguamento. Pensei que a música ouvida por ele tinha alguma tonalidade, algum ritmo, e que deveria ser como músicas de ninar. Apercebendo-me da resposta, eu lhe interrogo:

Analista: Você pode-me dizer como era o tom das vozes e da música que você ouvia?

Paciente: Pareciam com um lamento, uma saudade.

Analista: Agora entendo, seu pânico era temer não confiar mais em mim e que nossa relação ia-se romper. Assim, tudo que foi feito se perderia.

Paciente: É, achei que não ia dar mais para continuar.

Analista: Mas eu vou estar aqui sempre para me somar a você.

Termino a sessão. Ao despedir-se, o paciente mostra-se cordial. Entretanto, volta a perguntar se devemos continuar. Digo-lhe que sim, ainda mais agora, que sabemos um pouco mais sobre ele.

Discussão

O atraso e o modo inquiridor como o paciente entrou demonstraram uma hesitação em estar comigo. Logo me falou de seu estado de sofrimento, entendi haver algo relacionado a mim. Observei que havia uma intimidação no seu olhar e na sua fala.

Devido a isso, fiquei incomodado e sem iniciativa até o momento em que proferiu a palavra barese, pronunciando-a de maneira incompreensível inicialmente. Pareceu-me ter falado bares. Desfeita a dúvida, pude associá-la a um nome próprio e, depois, ao jogador de futebol e a mim como o analista-Barese.

É preciso esclarecer que o paciente acompanha com alguma regularidade os fatos cotidianos ligados ao futebol e sabe que também acompanho. Podemos entender a dificuldade em falar claramente Barese como sintomático. Chamou-me mais a atenção o modo pelo qual foi de imediato à enciclopédia para ver seu significado, sem se questionar a respeito de uma associação pessoal. Ultimamente, este fato acontecia com frequência em relação a uma palavra, um lugar ou um personagem. O paciente, ao chegar às sessões, desfilava todo o conhecimento adquirido. Isto ocorreu, até eu entender que o fazia de uma forma obsessiva, e também que tinha o sentido de manter uma continuidade através de uma colagem.

Associei essa conduta com a da paciente de Ogden que só se tranquilizava quando conseguia pensar adequadamente. Isso é uma defesa da posição autista-contígua, utilizada como um remendo para restaurar uma superfície sensorial rompida.

Retornando ao conteúdo da sessão, depois de perceber que eu era o analista-Barese, ela passou a transcorreu num clima de total naturalidade com uma sucessão sintonizada de falas minha e do paciente. Pude substituir o analista-Barese pelo analista-auxiliar, e o paciente-Barese pelo paciente comprometido com o conhecimento de si mesmo.

Isso elaborado, o paciente tornou-se espontâneo e natural. E meu entendimento dos três registros surgiu do mesmo modo na sessão. Reconhecemos o terceiro sujeito analítico, outra contribuição de Ogden para a técnica, e que Contart de Assis (1999) associou ao estabelecimento de uma simetria horizontal que soma, em oposição a uma simetria vertical que conduz à disputa.

Desse modo, as produções delirantes do paciente puderam ser compreendidas como tentativas de autoapaziguamento diante das angústias indizíveis, ligadas ao seu desamparo diante de uma ruptura da nossa relação. No caso em questão, ele sentiu o medo de se desfazer, de se desmanchar, de um esvaziar sem fim, de desaparecer no momento no qual, não contando com a sintonia dos pais, também estava ameaçado de me perder como sua segunda pele.

No desespero, lança mão da última defesa restante indo além da inércia. Nesta, ainda palpita vida. É o congelamento materializado no congelamento das pernas, onde cessam as percepções sensoriais.

Tudo cessa à espera do aparecimento do remédio salvador. Ele só começa a melhorar às vésperas da sessão de quinta.

Na sua realidade psíquica, caminhava para a extinção e, nesta situação caótica de finitude, tudo vale a pena, até a loucura que apazigua, mas paradoxalmente espinha, espanta e amedronta.

Assim, toda a situação torna-se um somatório de "trovões" (Winnicott, 1962). Ao medo de morrer, se junta o medo de ficar louco. Nossa mente, de fato, tem arranjos embaraçosos e nós, analistas, somos os únicos capazes de reverter esta adversidade da natureza humana, substituindo o abandono pelo encontro, a inércia e o congelamento pela ousadia, e a loucura pela lucidez.

Finalmente, este material clínico ilustra a importante contribuição de Ogden sobre a psicogênese das doenças mentais. Vemos como o paciente vai de uma posição esquizoparanoide, quando está sentindo-se enganado, para uma posição depressiva quando percebe que consigo compreendê-lo. Então, é capaz de trabalhar em sintonia com a minha compreensão de suas angústias e defesas.

Para Ogden, o impedimento dessa articulação dialética e sincrônica, conduz a patologias especificas, constituindo-se, portanto, em contribuição importante a se considerar.

Conclusão: uma tentativa de contribuição para a técnica psicanalítica

Os métodos são determinados pelas teorias que os fundamentam e estas, por sua vez, são alteradas pelos métodos que criam. É uma articulação própria dos princípios da natureza: vida e morte, positivo e negativo, dia e noite, sol e chuva.

O resultado desses estudos está mudando meus conceitos teóricos e técnicos sobre resistência, repetição, primitivo e elaborado, trauma psíquico, transferência e contratransferência, forma e conteúdo de uma sessão ou de uma fala, e articulação fina entre biológico e psíquico.

Passei a entender a repetição como um ensaio necessário para estruturar uma organização que sustentará um salto, uma mudança para mais adiante. Está mais para um movimento de vida do que de morte. Esse salto na realidade psíquica do paciente é catastrófico porque implica na modificação do *establishment*. É necessário que seja lento, ao seu modo, para haver uma aquisição do novo de forma organizada e integrada. Nossos pacientes precisam de tempo e, naturalmente, da elaboração dos elementos psíquicos inconscientes envolvidos na transferência-contratransferência para a constituição da confiança básica no analista. Também nós, analistas, precisamos desse tempo.

Hoje, entendo a resistência como um complemento da repetição no sentido de um autoapaziguamento, fortalecendo a constituição do *establishment*.

Não me aflijo com os atrasos, as faltas, os silêncios, as falas compridas e detalhadas, ou se o paciente fica sentado ou deitado. Tenho a atenção voltada para compreender o fenômeno, porém, atento mais para ver o fenômeno acontecer.

Muitas vezes, a forma é mais importante que o conteúdo. Tudo numa abordagem dialética. Tanto o paciente que fala seguidamente, como o que olha fixamente para um ponto ou para nós, pode estar procurando, apenas, uma colagem, uma costura da ruptura, como uma defesa para evitar o sentimento de descontinuidade catastrófica, e não uma defesa para ansiedades persecutórias.

A interpretação é muito importante, mas não é o único instrumento terapêutico. Nem o *holding* de Winnicott ou a *reverie* de Bion. Tudo é importante, mas tenho considerado a preservação do movimento pendular natural no *setting* analítico dado pelo equilíbrio emocional do analista como essencial, porque conduz ao autoapaziguamento e à restauração da superfície descontinuada pelo trauma vivido.

Funciono como um objeto autista de Tustin, sentido como macio, aquecido e colorido o suficiente para exercitar a vida. Também é importante conscientizar-me do meu papel de segunda pele para o paciente. Não o percebo somente utilizando-me como objeto da pulsão ou como continente do que é para si inaceitável, nem propiciador da restauração da natureza e da espontaneidade de um *self* verdadeiro, motivos pelos quais somos, também, procurados. Estou convencido de que, se não removermos a crosta criada em função do trauma da superfície sensorial, nossa tarefa de ajudá-lo poderá fracassar.

A intersubjetividade que jaz no assoalho da inter-relação da transferência-contratransferência é de importância comparável aos fenômenos citados, se não for o de maior importância, principalmente para aquilo que nós, analistas, desejamos, isto é, poder realizar um trabalho verdadeiramente científico.

Embora tenha desenvolvido esta abordagem mencionando pacientes graves, o exposto é inerente a todo homem ou mulher, criança ou adulto, sadio ou doente.

Reconheço que tenho muito a apreender. A pequena área pronta já é animadora, embora a estrada seja sinuosa.

Como escreveu o poeta: "A vida muda. A vida é muda".

Capítulo V

Remendos para uma superfície sensorial (2002) *

Entendo que a Psicanálise está mais apta que as outras ciências para urdir a sutil relação entre o soma e o psíquico.

Vou desenvolver o estudo dessa relação partindo do psiquismo primitivo e seus primeiros registros, envolvendo as superfícies sensoriais corporais.

Concordo com Tustin e Ogden que, dependendo da natureza dessas experiências, estabelece-se o senso de como sou e onde estou. Além disso, funcionam como recursos de autoapaziguamento para ansiedades inomináveis diante da possibilidade de deixar de ser. Podem gerar distorções no processo de maturação do ego em direção à sua integração.

---

* Artigo publicado na *Revista da Sociedade Brasileira de Psicanálise de Porto Alegre*. 2002. 4 (2): 437-450.

Nota explicativa

Pela sequência dos trabalhos apresentados, verifica-se uma ênfase crescente do meu interesse pela importância do estudo sobre o início do desenvolvimento psíquico e a importância das experiências sensoriais nesse processo.

Desde então, essas duas linhas de pesquisa pareceram-me complementares e ousei definir essas experiências sensoriais como precursoras do ego psíquico, portanto, identificando-as com o ego corporal mencionado por Freud.

Como me considerava, nessa época, no início desses estudos e procurava uma maior clareza para aquilo que eu intuía, escrevi os trabalhos anteriores em busca de interlocutores. Minha experiência foi negativa. Não os tive e os poucos comentários informais de colegas foram desanimadores. Contudo continuei, porque pessoalmente e na minha prática clínica observava mudança no meu modo de ser e de trabalhar com meu paciente. Até aqui, havia sido um trabalho incessante de dois anos e algumas perguntas começaram a ser feitas devido ao reconhecimento da incompletude dos estudos e de pontos obscuros que precisavam ser esclarecidos, como descreverei na sequência de trabalhos.

Matizam-se experiências psíquicas autoapaziguadoras que se tornam matrizes neurobiológicas. Acompanham as pessoas ao longo da vida e essas podem fazer-se presentes, quando nosso sentimento de continuidade fica ameaçado, tanto por elementos internos como externos. São defesas em busca do sentimento de sobrevivência e coesão psíquica.

Denomino essas defesas autoapaziguadoras de remendos, com o propósito de vincular o psíquico ao orgânico, presentes nas suas feituras.

Apresento material clínico ilustrativo e procuro classificar os remendos segundo suas constituições e finalidades.

Nosso desenvolvimento científico é insuficiente para explicar os fenômenos psíquicos e suas relações com o soma. Não sabemos com exatidão, por exemplo, quando uma impressão sensorial na superfície corporal de um feto ou de um recém-nascido, considerando seu tempo de desenvolvimento embriológico, ganha uma representação psíquica capaz de ser interpretada por um ego, ainda certamente incipiente, e quando esta representação pode ser verbalizada.

Mencionei (Salim, 2001a) algumas reflexões a respeito. Considero a Psicanálise mais equipada que outras ciências, como a Psicologia Experimental, a Neurobiologia, a Perinatologia, a Embriologia, a Genética e outras, para responder a essas questões. Primeiro, uma teoria fundamentada na experiência clínica válida para a compreensão de atos motores e produções psíquicas primitivas, anteriormente incompreendidas. Podemos citar os movimentos motores do feto, como o toque repetitivo do seu órgão genital ou outras partes de sua superfície corporal que podem ser observados pela técnica da ultrassonografia.

Também a observação de atos do bebê e do adulto, como manusear objetos rígidos como um dedo, chave ou um terço de rezar, ou estar em contato com objetos macios como suas próprias bochechas e a palma das mãos. Podemos entendê-los como "objetos autistas" e "formas autistas" (Tustin, 1984) oriundos de uma posição anterior à posição esquizoparanoide e a posição depressiva, conceituada por Ogden (1989b) como posição autista-contígua. Nesta, predominam as experiências sensoriais que marcam a existência do Ser e da sua coesão psíquica.

Freud (1923) disse: "O ego é, primeiro e acima de tudo, um ego corporal..." Em 1927, acrescentou: "Isto é, o ego em última análise deriva das sensações corporais, principalmente das que se originam da superfície do corpo. Ele pode ser assim encarado como uma projeção mental da superfície do corpo..." Freud esta indicando que o soma antecede o psíquico e que este, o ego embrionário, tem um componente orgânico: uma superfície sensorial com fibras, vasos e nervos, provavelmente a pele, e um componente psíquico que é a projeção mental dessa superfície sensorial. Isto é, a superfície sensorial adquire uma indumentária psíquica, resultante da elaboração mental, ainda precária, do que se passa nela.

Winnicott (1955) diz: "A base da psique é o soma e, em termos de evolução, o soma foi o primeiro a chegar. A psique começa como uma elaboração imaginativa das funções somáticas..." Ou: "A psique se forma a partir do material fornecido pela elaboração imaginativa das funções corporais (a qual, por sua vez, depende da saúde e capacidade de um órgão específico - o cérebro)". Depois prossegue: "Pode-se dizer com segurança que a fantasia mais próxima do funcionamento corporal (pensamento visceral-meu) depende daquela parte do cérebro que, em termos evolutivos, é a mais antiga, enquanto a consciência-de-ser (pensamento elaborado-meu) depende do funcionamento daquilo que é mais moderno na evolução do homem, seu neocórtex. A psique está unida ao corpo através de sua relação tanto com os tecidos e órgãos quanto com o cérebro..." Conclui dizendo: "As memórias são construídas a partir de inúmeras impressões sensoriais, associadas à atividade da amamentação (ligadas ao tato, olfato, paladar, audição, visão) e ao encontro com o objeto".

Tustin (1980) desenvolveu o conceito de "objetos autistas" e "formas autistas" a partir do seu trabalho com crianças psicóticas, mostrando sua natureza e função no desenvolvimento emocional dessas crianças.

Freud, Winnicott e Tustin nos legaram esse acervo de entendimentos teóricos que eles mesmos não puderam desenvolver completamente, como pretendo nesse trabalho, considerando minhas limitações.

Ogden (1989b) deu um passo importante ao reconhecer e decodificar as produções psíquicas imaginativas próprias de um período inicial da psique humana, quando o recém-nascido está em estado de dependência completa, impossibilitado de diferenciar o eu do não-eu. Relacionou-as às estimulações de uma superfície sensorial por objetos do próprio corpo e do meio ambiente, como Tustin (1980) já havia apontado.

Seguindo Tustin e Winnicott, Ogden enfatizou a importância dessas experiências para os processos de integração do ego e um resultante senso de "continuar sendo". Essas experiências sensoriais, tanto macias como angulares, requerem ritmo, intensidade, regularidade e uma previsibilidade para se tornarem propiciadoras dos processos de maturação. Se traumáticas, isto é, ferindo a integridade da superfície sensorial ou mesmo rompendo-a, promovem o aparecimento de angústias e defesas concomitantes para tentar preservá-la ou restaurá-la.

Winnicott (1955) disse a propósito: "O ponto de vista que estou adiantando aqui é que no nascimento a termo já existe um ser humano no útero, capaz de ter experiências, acumular memórias corporais e até defesas contra possíveis traumas".

Tustin (1980) nos diz que tão importantes quanto o leite na mamada do recém-nascido, são as experiências sensoriais de contato com a pele e principalmente o mamilo duro da mama da mãe. A ultrassonografia, com recursos modernos, está confirmando essas afirmações de ambos, ao permitir ver os movimentos repetitivos do feto de masturbar-se, levar as mãos à boca ou coçar as orelhas, como recursos autoapaziguadores. Promovem experiências sensoriais autogeradas com ritmo e previsibilidade, tornando-as automáticas.

Remendo para uma superfície sensorial é o nome que dou para o recurso ou defesa organizada por um ego, quase só visceral, sem capacidade cognitiva. Portanto, incapaz de interpretar, de fazer associações elaboradas, pré-histórico, pré-simbólico. Esse ego visceral contribui com o sentimento de segurança da continuidade do Ser e sua coesão psíquica. Ele utiliza, para a constituição desses remendos, material orgânico ou psíquico, ou ambos. Material orgânico é o próprio corpo com seus componentes orgânicos, e material psíquico é o que existe de ego constituído capaz de produzir manifestações psíquicas. Estou usando a palavra remendos pela sua analogia com um retalho de pele usado como enxerto para reparar uma ferida.

A ruptura de uma superfície sensorial é sentida, segundo Rosenfeld (1965), literalmente como um sangramento que precisa ser estancado. Sucede nos conhecidos episódios de pânico. O paciente é tomado de acentuada aflição pelo medo de se desfazer, de morte iminente, de medo de estar ficando louco. São acompanhados de sintomas físicos acentuados como esfriamento, sudorese, taquicardia e dor pré-cordial, fotofobia, desarranjo intestinal e outros, podendo chegar ao desfalecimento com perda da consciência. Neste trabalho, procuro reunir registros e classificá-los. A presença deles passava despercebida por mim. Agora os percebo instrumentado por esse referencial. Eles incluem um tipo de sintomatologia, oriunda das experiências sensoriais.

Considero-me no início desses estudos, como escreveu Winnicott (1962): "O início é sempre um conjunto de inícios".

Material clínico ilustrativo

Primeira sessão da semana

Paciente chega trazendo um mau cheiro no corpo (um remendo) que inicialmente me afastou pelo desagrado. Depois pude pensar que queria é ser encontrada por mim e o mau cheiro a certificava disso.

Na sua primeira fala, disse que foi com a filha a um *shopping*, onde ficou das nove às doze horas, satisfazendo a vaidade desta. Na casa ninguém faria isto por ela.

Entendi que queria meu reconhecimento desse esforço, e mencionei-o a ela.

Daí até o final da sessão, falou como se sentia desvalorizada no seu trabalho doméstico e de como reagia a isso, empenhando-se em múltiplas tarefas.

É uma paciente obesa, a obesidade como um remendo de natureza orgânica pelo estiramento da pele.

Seu olhar, também, chama a atenção. Tem uma exoftalmia, acentuada em determinados dias. Permanece com o olhar vivamente fixado em minha pessoa, procurando manter-se unida a mim pelo olhar.

Sua fala também é contínua, sem pausas, para manter uma continuidade. Como o olhar, é outro remendo de natureza orgânica.

Por vezes, entrega-se à masturbação compulsiva, chegando a ferir-se. Frequentemente é acometida de manifestações alérgicas com pronunciado prurido. Essas são outras formas de estender a pele, além da obesidade e da exoftalmia.

Além do uso do corpo, material orgânico, produz remendos a partir de material psíquico. Quando sai à rua, sente-se obrigada a ler e comparar as placas dos carros em busca de uma associação com placas vistas anteriormente. O mesmo acontece com números de telefones. O número oito sempre lhe chama mais a atenção. É o número com duas bolas ligadas entre si. Significa um laço, uma tentativa de aproximação. Os diálogos na novela da televisão têm relação com ela. Na rua, acha que estão falando dela ou rindo dela. Em determinado mês, fez o pagamento de suas sessões com notas de cinco reais, novas, sacadas no banco, para ter uma seriação contínua.

Mantém-me como uma proteção contra as perseguições do ex-terapeuta. Segundo ela, esse mantém motoqueiros para vigiá-la, enche a porta da sua casa de resto de lixo, telefona-lhe para saber onde e com quem anda.

Sou seu objeto autista apaziguador que a ajuda a se definir pela minha fala, pelo meu aperto de mão, pelo meu modo de olhá-la. Todos esses são elementos sensoriais apaziguadores, assim como meu trabalho interpretativo. Funciono como uma "segunda" pele, segundo Bick (1968-1986), macia, envolvente, que a ajuda a manter o sentimento de segurança quanto à sua sobrevivência.

Relaciona-se com um estágio do desenvolvimento anterior ao *holding* de Winnicott ou o de *reverie* de Bion. Nele prevalece a experiência sensorial organizadora, pela sua capacidade de promover um sentimento de coesão, de existência necessária para o processo de maturação do Ser.

Trabalho considerando ser esse seu tempo emocional. Precisa de mim como um auxiliar para demarcar sua existência, impedindo o aparecimento da ansiedade catastrófica ligada ao medo de se desfazer. Sou um remendo, que não lhe pode faltar no fim-de-semana.

Chega, assim, à sessão de segunda-feira com o odor que a ajudou a se manter até o nosso reencontro, pela experiência sensorial apaziguadora propiciada, e que me levaria a percebê-la.

Essas manifestações começaram há sete anos com as primeiras divergências conjugais. A possibilidade da separação conjugal tirou tudo dos lugares e ela se viu à beira da falência psíquica, restando-lhe como último recurso voltar aos modos iniciais de se garantir e se apaziguar. Ela fez um retorno aos seus inícios. Sentiu-se perseguida e cheirando mal para se garantir de que seria encontrada.

Aqui surge um paradoxo existencial. Esses remendos caóticos produzidos para o apaziguamento inicial, agora precisam ser desfeitos, pelos embaraços que trazem na vida adulta. Só nós, psicanalistas, poderemos fazê-lo e, para tanto, precisamos identificá-los, reconhecer sua natureza e sua função.

Certo dia, relatou o seguinte sonho: "Observava uma casa cercada de gelo, que obstruía as entradas e as saídas, e lá dentro dois homens discutiam, até que compreenderam que precisavam somar suas forças para conseguirem sair da casa".

Os dois homens éramos nós, e a casa de gelo era ela com os remendos desvitalizantes, usados para o apaziguamento, e que a levaram ao isolamento afetivo e social próximo ao congelamento.

Esses remendos constituem um universo de manifestações orgânicas, psíquicas e ações sintomáticas. Muitas são do nosso conhecimento cotidiano e do leigo. São pouco valorizadas por nós, como eram os sonhos, à época do início dos estudos de Freud. Tendemos a desvalorizá-los, como elementos clínicos, pelo nosso desconhecimento da sua etiologia e significado. Reconhecê-los tem muita importância para nosso trabalho clínico.

Procurarei esboçar uma descrição desses remendos no início desse trabalho, baseando-me nessas considerações. Segundo suas texturas e finalidades, proponho a catalogação que se segue.

Descrição dos remendos

É preciso imaginar uma superfície sensorial, uma parte da pele, por exemplo, ameaçada de ruptura ou já rompida. Isso gera ansiedade que está ligada à ameaça à sobrevivência.

Penso que os remendos têm natureza diversa (duros ou macios, orgânicos ou psíquicos) e finalidades diversas (de conexão, de adiamento e de antecipação).

Quanto à finalidade e à natureza:

I - Remendos de conexão ou refeitura - a superfície está rompida:

a - Remendos de natureza orgânica: o manuseio de dedos na boca, no nariz, nos genitais, nos olhos e várias outras superfícies do corpo, o bruxismo, a obesidade, a masturbação excessiva, os eczemas e pruridos, o balanceio do corpo, o movimento contínuo de pés e pernas, o caminhar contínuo, o olhar fixo, a fala ininterrupta, o apego excessivo a esportes e à ginástica para desenvolvimento da musculatura, o apego aos sons metálicos ou leves que tenham certo ritmo, intensidade e regularidade, o alisar e prensar objetos na palma da mão ou entre os dedos como chaves, canetas, terços de rezar, cigarros, o enrolar seguidamente os cabelos, alcoolismo (estar seguidamente com um copo nas mãos ou na boca), o uso dos orientais, desde milênios, do *masbarath*, o terço dos católicos, as técnicas de acupuntura, as tatuagens, os *piercings* pelo corpo, o queimar-se, o cortar-se, o golpear-se contra superfícies duras, o suicídio por meios duros (enforcamentos, tiros, facadas etc.), síndromes psicossomáticas e outros.

b - remendos de natureza psíquica: as ideias e os atos obsessivos compulsivos, a hipertrofia das funções cognitivas como pensamento, memória, inteligência, as leituras compulsivas de jornais, televisão, revistas e livros, as perversões sexuais (exibicionismo, voyeurismo, masturbação, sadismo, masoquismo, homossexualismo, travestismo e outras), os sonhos traumáticos e outros.

II - Remendos para uma infinitude - tendem a retardar um fim (adiamento):

a - remendos de natureza orgânica: a frigidez, a ejaculação retardada, a impotência, a encoprese e a constipação intestinal, a retenção da expiração na asma brônquica, as amenorreias, os movimentos musculares lentos para andar, falar, pegar, escrever, o olhar distante, desviado e cabisbaixo e outros.

b - remendos de natureza psíquica: nunca terminar o que se começa, o adiamento sucessivo de prazos, a grande sensibilidade para perdas, separações, abandonos ou rejeições, o controle excessivo do patrimônio material, e outros.

III – Remendos para uma finitude – tudo vai terminar logo e é preciso ter pressa (antecipação):

a - remendos de natureza orgânica: a enurese noturna, a ejaculação precoce, os desarranjos menstruais e intestinais etc.

b - remendos de natureza psíquica: a fala e a escrita condensada, a antecipação de prazos de qualquer natureza, a busca imediata de respostas, o congelamento afetivo e sexual e outros.

Este esboço não esgota essa relação. Espero poder ampliá-lo na sequência da minha experiência clínica e de outros conhecimentos teóricos adquiridos com a interdisciplinaridade da Psicanálise com outras ciências.

Considerações finais

As ideias desenvolvidas aqui, suas aplicações clínicas e sua aferição tornaram-se possíveis à medida que fui introduzindo aberturas no hermetismo dos dogmas e da linguagem convencional. Acredito que já pude chegar a algumas convicções.

a - As primeiras angústias e defesas já acontecem quando o feto e o recém-nascido não conseguem, ainda, diferenciar o eu do não-eu. Estão relacionadas à continuidade do Ser, sua sobrevivência e à coesão psíquica alcançada. Permanecem por toda a vida. Essas angústias podem ser percebidas com mais nitidez nos pacientes psicóticos, como foi mostrado no material clínico apresentado, nas perversões sexuais e nas doenças psicossomáticas envolvendo o sistema nervoso central e autônomo. Essa é uma questão para ser desenvolvida em outro trabalho. O recém-nascido pode ficar detido no seu modo inicial de desenvolver matrizes psíquicas e caminhar para o autismo patológico, não as articulando ou articulando-as precariamente com as matrizes da posição esquizoparanoide e depressiva, como afirmou Ogden (1989b).

b - É muito útil, na clínica, detectar esse modo de funcionamento mental no decorrer de uma sessão ou de uma análise.

Isto vai orientar-nos quanto às demandas da qualidade do meio para a retomada do sentimento da continuidade do Ser. O *setting* torna-se, mais do que nunca, o analista com seu silêncio, regularidade, previsibilidade, acolhimento e trabalho interpretativo, no momento adequado.

c) A compreensão da natureza do ego com um componente orgânico tornou-se bastante útil para entender que as mudanças psíquicas passam pelo biológico. Precisam passar por um processamento mais lento que o psíquico. Essas matrizes iniciais de gerar experiências psíquicas ficam impressas no soma, que vem antes do psíquico, como uma marca feita sobre a pele com um ferro aquecido. Freud (1930) nessa questão é taxativo. Diz ele: "Desde que superamos o erro de supor que o esquecimento com o que nos achamos familiarizados significava a destruição dos resíduos mnêmicos, isto é, a sua destruição, ficamos inclinados a assumir o ponto de vista oposto - ou seja, o de que na vida mental nada do que uma vez se formou pode perecer -, que tudo é, de alguma maneira, preservado e que, em circunstâncias apropriadas (quando, por exemplo, a regressão volta suficientemente atrás), pode de novo ser trazido à luz". Winnicott (1955) endossa esta afirmação de Freud quando escreve: "Os estágios iniciais jamais serão abandonados".

A Psicanálise é por isso um método ativo de processar lentamente a mudança psíquica, mas é também a única a consegui-la. O analista necessita de paciência com o analisando e consigo mesmo.

É importante compreender e nos convencer da nossa função e natureza como "objeto autista" e "forma autista" para promover a segurança do continuar sendo, o que favorecerá os processos de maturação com o apoio do *holding* e da *reverie.*

Estou convencido de que a preservação do Ser, impulsionada pelo narcisismo primário, é mais urgente para o homem do que a propagação da sua espécie.

Capítulo VI

O Trauma e a Desconexão (2003) *

Neste trabalho, procuro demonstrar que a vítima de trauma físico ou psíquico pode desenvolver o transtorno de estresse pós-traumático (TEPT), se houver uma história anterior de trauma. Seus sintomas e sinais devem ser entendidos como concomitantes neurobiológicos. Vivem na borda da vida. Estão limita-

---

* Este trabalho foi publicado na *Revista da Sociedade Psicanalítica do Rio de Janeiro*. 2001. 5: 99-112.

Nota explicativa

Meu interesse crescente para compreender as origens do ego psíquico levou-me a buscar mais fontes que pudessem auxiliar.

Não podia pensar, como ainda penso, em um funcionamento psíquico sem um substrato biológico. É inquestionável que o biológico vem antes do psíquico. Eu sabia muito pouco dos elementos biológicos dos quais surge o ego psíquico no desenvolvimento do indivíduo. Deveria haver um precursor desse ego e eu já atinara para as sensações sensoriais fetais como tal, mas faltava-me estabelecer as estruturas neurológicas envolvidas, embora estivesse claro para mim que seriam partes do sistema nervoso autônomo ou instintivo ou animal. Eu já havia intuído que se poderia falar em trauma fetal na etiologia dos distúrbios mentais.

No início de 2003, um colega falou-me de um pesquisador americano que poderia abrir novos conhecimentos na área do conhecimento dos precursores do ego. O mesmo iria apresentar, na Faculdade de Medicina da UFMG, o resultado de seus estudos publicado em livro, cuja cópia meu colega teve a gentileza de me presentear e que se tornou meu livro de cabeceira. Para lá me dirigi e constatei que era um ortopedista americano, muito titulado, que falou do trauma físico, durante três horas, mostrando como iniciara seus estudos, que culminaram em um conhecimento novo do Transtorno de estresse pós-traumático (TEPT). O referido livro tem o título *O corpo carrega o peso do trauma*.

Verifiquei que havia um paralelo entre meus estudos sobre o trauma e os dele, até mesmo no uso de termos que vinha usando, como suspensão, congelamento, desconexão, imobilismo, inércia e outros.

Nesse livro estavam expostas as bases neurofisiológicas do trauma, seus efeitos biológicos e noções de tratamento, devido a sua aproximação com Levine, um

dos às condições para preservar a sobrevivência e a lucidez, com limitação para a vida afetiva, familiar, social e profissional. Respondem mal aos tratamentos psicológicos, como a Psicanálise e a Psicoterapia Cognitiva.

Ainda hoje, o TEPT carece de uma explicação etiológica. É geralmente diagnosticado como uma depressão maior ou um distúrbio bipolar. Esse fato tem importantes repercussões na clínica.

Para explicar sua variada e paradoxal sintomatologia, tenho relacionado contribuições da Psicanálise, da Psiquiatria, da Psicologia Experimental e da Neurobiologia. São observações e ideias lastreadas em estudos sobre o desenvolvimento psíquico inicial, a partir da vida fetal até os primeiros dias de nascimento. Nesse período não existe um sujeito interpretante e a noção de

---

psicólogo que desenvolvia um trabalho com pós-traumáticos, usando uma técnica especial que denominou de "Experiência Somática", já com ampla divulgação científica.

Ambos remetiam os sintomas do TEPT a respostas biológicas do trauma e não as mencionavam como contendo um conteúdo sexual reprimido que não encontrava palavras para se expressar, como eu pensava até então, sobre muitos sintomas que eu não sabia pertencer à síndrome do TEPT.

Nesse período, duas publicações foram de inestimável valor para o progresso dos meus estudos. Dois números da *Revista Brasileira de Psiquiatria, 25* (Supl I e II), que dissecaram o conceito, as bases neurofisiológicas e formas de tratamento do TEPT. A outra, o artigo de Kandel (2003), enfatizando a importância da memória implícita ou de longo prazo, para mim a mais importante contribuição das neurociências, até então.

Posso dizer que esses estudos abriram um mundo novo para mim, e que fui além desses autores ao acrescentar os estudos de Tustin sobre as sensações sensórias, de Winnicott sobre o desenvolvimento psíquico primitivo, e de Ogden com o conceito da posição autista-contígua.

Na verdade, vi-me em um embaraçado e complexo conjunto de conhecimentos, e levei tempo para definir seus limites, suas recíprocas influências e outros desenvolvimentos, que passarão a ser expostos daqui para frente, muitos inusitados e por isso de difícil transmissão e aquisição de outros colegas.

Os trabalhos seguintes são tentativas de clareá-los para mim e poder expô-los com segurança na explicação da psicopatologia de inúmeros transtornos mentais, como desenvolvimentos na teoria e na técnica psicanalítica.

Nesse período de transição, foi muito importante meu trabalho intensivo com meus pacientes, tanto de Psicoterapia Psicanalítica como de Psicanálise. Penso que todos nós nos beneficiamos. Mesmo nesse início de desordem, constatei a crescente presença nos consultórios de pacientes que começaram a ser denominados de difícil manejo clínico.

estar existindo é dada pelas experiências sensoriais inerentes aos processos vitais ditados pela filogênese.

Proponho a hipótese de que um trauma com vivência de morte no período fetal gera uma angústia de morte e um processo defensivo caracterizado pelo retorno ao existir apaziguador anterior. Essa angústia e essa defesa geram uma sintomatologia específica.

A esse conjunto de ansiedade, defesa e sintomas, denominei de Desconexão.

Os psicanalistas têm descrito pacientes portadores de uma sintomatologia atípica, diagnosticada na falta de uma precisão melhor, como narcísica, *borderline*, depressiva, bipolar ou atípica, ou mais recentemente de pacientes da clínica do vazio ou do desenvolvimento.

Caracteriza-se por retraimento pessoal, imobilismo, desertificação da vitalidade, desfalecimento, desinteresse sexual, indiferença afetiva, tristeza vazia ou fria, baixa autoestima, desesperança, sonolência, cansaço, desânimo, apego às drogas, intolerância a estímulos físicos e queixas somáticas atípicas. Outros apresentam perversões sexuais, tendência para intelectualizar, exercícios físicos contínuos, inquietação, agitação, impaciência, insônia e sintomas psicóticos. Esses pacientes são considerados como pacientes de difícil manejo clínico. Parecem viver à borda da vida, ausentes de si mesmo. Não se reconhecem mais como eram. Procuram sobreviver com o mínimo necessário, como se fossem autistas.

Carecem de uma explicação etiológica. Para tanto, tenho relacionado contribuições da Psicanálise, da Psiquiatria e da Neurobiologia. São observações e ideias que venho descrevendo desde 2001b.

Neste trabalho, pretendo mostrar que esses pacientes são geralmente portadores de Transtorno de estresse pós-traumático (TEPT), segundo o DSM-IV (1994). Gregor Samsa, principal personagem do conto de Franz Kafka (1915), *A metamorfose*, é o mais célebre desses pacientes.

O TEPT foi descrito há mais de cem anos, porém sua categorização como uma entidade diagnóstica ocorreu em 1980, na terceira edição do DSM. Estudos epidemiológicos mostram que de 14% a 25% das vítimas de trauma desenvolvem o TEPT. É uma incidência alta, e esses pacientes tendem a aumentar nos nossos consultórios, devido ao incremento da violência física e psíquica nos dias atuais, deixando o homem moderno mais sujeito às agressões de toda sorte.

Ainda assim, o diagnóstico do TEPT é desconhecido pelo psicanalista, assim como por outros profissionais da área de saúde. Geralmente incluem sintomas de retraimento autista, associado ou não à hiperatividade.

Considera-se trauma a exposição do paciente a um evento ou situação estressante, de curta ou longa duração, em que ele vivencia ou testemunha um evento com sentimento de morte ou de loucura.

Considero importante ajuda na clínica psicanalítica esse diagnóstico, porque são sintomas que não derivam da repressão de impulsos sexuais, e sim, de concomitantes fisiológicos para os quais não há uma interpretação verbal de material inconsciente.

Na minha experiência clínica com esses pacientes, tais desenvolvimentos teóricos têm-se mostrado de muita valia para a manutenção do *setting*, da neutralidade e do trabalho interpretativo realmente psicanalítico.

A contratransferência nos ajuda no diagnóstico do TEPT. Geralmente, temos sentimentos de tédio, desânimo, incompetência e sonolência com esse paciente.

Passam por vários tratamentos e chegam descrentes de uma possível melhora, demandando resultados terapêuticos rápidos pelo temor do insucesso. Com frequência abandonam o tratamento psicanalítico ou de psicoterapia psicanalítica no início do tratamento e ficam apegados ao seu antidepressivo, que invariavelmente já lhes foi prescrito. Isso porque têm um imenso medo de sair do seu retraimento provocado por um trauma anterior e tendem a gerir seu próprio tratamento.

O conceito da Síndrome de Desconexão ajudou-me a deixar de lado alguns dogmas psicanalíticos.

Neste trabalho, vou expor as fontes desse conceito. Apresento material clínico próprio e algumas considerações teóricas e técnicas pertinentes ao tratamento desses pacientes, lastreado em estudos sobre o desenvolvimento psíquico inicial, a partir da vida fetal até os primeiros dias de nascimento.

Nesse período não existe um sujeito interpretante, e a noção de estar existindo é dada pelas experiências sensoriais inerentes aos processos vitais ditadas pela filogênese. Um trauma nesse período gera uma angústia de morte, uma defesa e uma predisposição para a sintomatologia descrita, que compõem a Síndrome de Desconexão.

Desenvolvendo o conceito de Síndrome de Desconexão

Aportes da Psicanálise

a - Contribuições de Ogden

Comecei esses estudos, via Psicanálise, a partir de Ogden (1989b), quando comecei a valorizar o seu conceito de uma posição autista-contígua no desenvolvimento psíquico inicial, anterior à posição esquizoparanoide de Klein (1963) e ao falso *self* de Winnicott (1960).

Segundo Ogden, forma-se uma matriz psíquica, sem a existência de um sujeito que interpreta, devido à imaturidade do sistema nervoso cognitivo. Existe, apenas, a noção de uma experiência em uma superfície sensorial relacionada aos processos vitais. Ogden sustenta que a ansiedade básica nessa posição está relacionada a alterações no ritmo e intensidade dessas experiências sensórias. Quando traumáticas, essas experiências acarretam a sensação de interrupção do sentimento de continuar sendo, com resultante angústia de morte. Esse registro é representado por sentimentos psicóticos de estar em decomposição, de sensação de que os esfíncteres corporais estão falhando com o vazamento de fezes e urina, de medo de cair no espaço ou no sono, de não saber onde estar, de imagens distorcidas de si mesmo, de desfalecimento.

A defesa produzida está orientada para o restabelecimento da continuidade da superfície sensorial. Tem como seu representante psíquico manifestações orgânicas e psíquicas, que reuni sob o nome de *Remendos para uma superfície sensorial* (Salim, 2002). Funciona como "uma segunda pele" (Bick, 1986) protetora.

Posteriormente, Ogden (1996) sugere a tese de que "o isolamento de tipo autista-contíguo implica, em algum grau, o ato da substituição da mãe como ambiente por um ambiente sensorial autogerado". Continua: "Estou propondo que, desde os primórdios da vida psicológica (e ao longo de toda a vida), existe uma forma de experiência na qual a mãe, na condição de matriz psicológica, é substituída por uma matriz de sensação autônoma. O ambiente humano vivo é substituído por relações com experiências sensoriais totalmente confiáveis de tipo autista-contíguo. Tais relações autista-contíguas são maquinais na sua precisão e podem ser pensadas como uma substituição do mundo humano por um não-humano. O tipo de isolamento que tenho em mente não é uma forma de morte psicológica. O que estou tentando descrever é uma suspensão da vida no mundo dos vivos e a substituição deste mundo por um mundo autônomo de relações com sensações perfeitas. Deixar o bebê nesta forma de isolamento e resgatá-lo de modo compassado e periódico é uma parte essencial da qualidade rítmica precoce do desenvolvimento humano".

Ogden ilustra essas afirmações com uma vinheta clínica. "Uma analisanda que, recentemente, deu à luz a um bebê saudável, vivenciava um estado de pânico, quando seu filho dormia, temendo que estivesse morto. Nós, como analistas, estamos familiarizados com tais angústias e tendemos a compreendê-las em termos de desejos assassinos inconscientes e universais, assim como em termos da projeção da própria sensação de morte interna da mãe. Parece-me que tais compreensões devem ser suplementadas com a apreciação de um componente adicional da relação precoce mãe-bebê. Considero, hoje em dia, que tais angústias refletem a resposta da mãe à sua experiência real de que, de vez em quando, ela perde seu bebê, e de que, a cada vez, ela o recupera. Ou seja, a mãe de fato vivenciou a perda de seu bebê no decorrer do isolamento periódico deste na sua própria matriz sensorial, e fica aterrorizada de que essa experiência próxima da morte se repita (desta vez, irreversivelmente)".

b - Contribuições de Winnicott

Winnicott (1962) escreveu: "A criança cujo padrão é o de fragmentação da continuidade do Ser tem uma tarefa de desenvolvimento que fica, desde o início, sobrecarregada no sentido da psicopatologia. Assim, pode haver um fator muito precoce (datando dos primeiros dias ou horas de vida) na etiologia da inquietação, hipercinesia e falta de atenção (posteriormente designada como incapacidade de se concentrar)". Prossegue: "Os rudimentos de uma elaboração imaginativa de exclusivo funcionamento do corpo devem ser pressupostos se se pretende afirmar que este novo ser começou a existir e começou a adquirir experiências que podem ser consideradas pessoais".

Esse é o período do *holding*, que remonta ao estágio de maturação do ego, quando não existe para o recém-nascido a possibilidade de ter consciência de sua existência separada da mãe e onde predomina a comunicação entre os dois pelos cuidados físicos dispensados a ele por ela.

A teoria de Winnicott (1960) sobre o falso *self* e o verdadeiro *self* revela: "O protesto contra ser forçado a uma falsa existência pode ser discernido desde os estágios iniciais. O quadro clínico é o de irritabilidade generalizada e de distúrbios da alimentação e outras funções que podem, contudo, desaparecer clinicamente, mas apenas para aparecer de forma severa em estágio posterior".

Em outro trabalho (1949), faz várias observações clínicas, destacando a importância do trauma do nascimento para nossa vida psíquica.

c - Contribuições de Tustin

No seu trabalho sobre os objetos autistas, Tustin (1980) cita um paciente portador de psicose infantil que comparecia às sessões trazendo objetos duros (carro e chaveiro com muitas chaves), que prensava nas palmas das mãos. Denominou-os de "objetos autistas". A partir daí, passou a estudar a origem, a natureza e a função destes objetos. Diz: "Proponho que os objetos autistas patológicos surgem de uma autossensualidade que se faz excessiva e toma um caminho desviado e perverso".

Ela considera este objeto autista normal se usado pela criança ocasionalmente. Torna-se patológico, o mamilo ou a própria língua, como exemplo, se a criança fica aderida à produção da experiência sensorial por este objeto, mantendo uma distância do mundo que a envolve.

Esse objeto autista é diferente do objeto descrito por Winnicott (1951) como "objeto transacional". Ele pode ser substituído, não tem um sentido específico (o chaveiro não é usado só para guardar chaves), não estão envolvidos com fantasias e têm consistência dura.

Em 1984, Tustin descreveu as formas autistas. São formas sentidas que provêm do toque suave de superfícies que provocam impressões sensoriais na superfície cutânea. Essa forma é idiossincrática para cada um de nós. Na verdade, somos nós, naquele momento. Assim, o contato da bochecha do bebê com o seio da mãe gera uma experiência de forma autista. Ocorre uma sensação sensorial definida e uma sensação de lugar e de quem sou e onde estou.

Essa experiência é expressa por Sartre (1943) assim: "Resta saber em que região delicada e esquisita do Ser encontraremos o Ser que é seu próprio Nada".

Condilatt (1774) intuiu com maestria que "a sensação sensorial não é uma presença inerte". Queria dizer que tem vida, tem movimento e é sentida.

d - Aportes da Psiquiatria

A Psiquiatria atual inclui na sua classificação de doenças mentais (DSM-IV, 1994) o TEPT. Sua base histórica, sua sintomatologia, sua epidemiologia, as comorbidades estão bem caracterizadas pela Psiquiatria. Contudo, no que diz à sua etiologia, ao seu tratamento e à sua distinção da depressão maior e do estado bipolar, existem mais incertezas do que certezas.

A Psiquiatria, fundamentada na Neurociência, tem recomendado a Terapia Cognitiva para o tratamento do TEPT, recomendação esta que contraria os fundamentos defendidos nesse trabalho, como tentarei demonstrar mais à frente.

e - Aportes da Neurobiologia

A Neurobiologia, ao lado da Psicologia Experimental, tem estudado o comportamento cognitivo dos animais e do homem em testes laboratoriais, submetendo-os à experimentação e comprovação dos resultados. Isto confere a estes estudos o status de ciências exatas. Assim, têm sido feitos significativos progressos no estudo da memória, do sonho, da comunicação e o aprendizado e sobre a reação ao medo e ao trauma. Um resumo sucinto desses progressos será feito aqui para o fim que nos interessa.

Estudos sobre a memória, segundo Queiroz et. al. (2003) têm demonstrado que acontece um trabalho minucioso de catalogação pela memória, com sede na amídala cerebral, de experiências sensoriais vividas, relacionadas aos procedimentos inerentes ao sistema nervoso instintivo. Essa memória, denominada de procedural, tem semelhança com a formação do inconsciente postulado pela Psicanálise.

Sobre os sonhos existem observações que corroboram as afirmações de Freud relativas à importância de elementos da experiência do dia anterior, denominados de restos diurnos.

Pesquisas recentes relatadas por Sidarta (2003) sugerem que os sonhos desempenham um papel essencial na consolidação das memórias relacionadas aos procedimentos para manter a sobrevivência. Auxiliam a levar aquelas, recentemente adquiridas (os resíduos diurnos), a migrarem da amídala para o neocórtex, podendo, pois, serem racionalizadas. Se os conteúdos desses registros têm a forma de elementos eróticos, como habitualmente têm, podemos entendê-los, com um pouco de imaginação, que sua finalidade imediata é retirar o indivíduo do retraimento do qual se sente possuído pela ocorrência de algum trauma vivido. Devido a sua semelhança com os animais, o homem é dotado de um sistema com a capacidade para escanear as percepções dos órgãos dos sentidos em atividade vinte e quatro horas por dia, a exemplo de um sistema antivírus de um computador. Esse sistema data de sua vida embrionária. Prepara o homem para os movimentos de luta, de fuga ou de imobilidade diante do predador.

Outros estudos sobre a comunicação e o aprendizado relatados por Queiroz et. al. (2003) revelam que: "apenas o Homo Sapiens está cognitivamente equipado para produzir e interpretar símbolos. Já os primatas não têm um sujeito interpretante e reagem de forma instintiva diante de um sinal indicando a existência de um leopardo, ou uma águia ou uma cobra. Ele emite uma vocalização como meio de comunicação, que é interpretada pelos outros primatas. Sobe numa árvore se for um leopardo, ou se esconde sob os arbustos se for uma águia ou faz um escrutínio atento da relva se for uma cobra. Aquilo que é comunicado a partir da percepção de um predador, através de um alarme para um intérprete (outro primata), é o fato de que alguma coisa deveria acontecer sob certas condições. Essas reações são mediadas por sistemas neurais específicos para cada tipo de alarme. Essa constatação pode ser importante para o entendimento de certas reações do homem denominadas de psicossomáticas".

Os estudos sobre as emoções e a respostas fisiológicas ao medo, segundo Brandão et. al. (2003) analisam os sistemas neurais envolvidos na resposta de defesa, considerando a distância ou a intensidade do perigo. Assim, a distância em que a presa se encontra do predador ou a intensidade dos sinais emitidos por ele, determinam o padrão de respostas defensivas do animal. Existe um sistema neural de inibição SCPD (congelamento) comportamental e outro sistema neural aversivo. Estes geram respostas diferentes relacionadas ao fato de ser o perigo iminente ou não. O hipotálamo parece funcionar como um comutador ou *switch* na geração e na elaboração dessas respostas com o seu componente motor, autonômico ou endócrino (através de suas conexões com a hipófise).

Os estudos sobre o TEPT têm revelado as substâncias químicas envolvidas, por exemplo, as endomorfinas, para suavizar a dor de ser mastigado pelo predador.

Os trabalhos de Scaer (2001), um neurologista voltado para o estudo do trauma biológico, como o trauma decorrente de acidente automobilístico, e de Levine (1998), um psicólogo fisioterapeuta, sobre a reação de imobilidade da presa que não consegue lutar ou fugir do predador implacável, destacam os sintomas e as reações físicas e químicas presentes nesses traumas.

O trabalho de Harlow (1958) e Levine (1962) com filhotes de macacos e ratos mostra, de modo convincente, que os traumas precoces deixam sequelas irreversíveis nos seus portadores. Esses autores separaram os recém-nascidos dos seus pares desde o nascimento, por um período de três a seis meses, e depois voltaram com os mesmos para o convívio com os mesmos. Verificaram que todos apresentaram reações de retraimento, isolamento, perda do apetite e do interesse sexual. O mesmo não aconteceu com aqueles que foram isolados depois do décimo dia após o nascimento. Esses estudos vieram confirmar a importante tese que estou sustentando nesse trabalho, de que um trauma no período fetal dá origem a uma ansiedade, defesa e sintomatologia específica.

Desenvolvendo meu referencial

Essas contribuições oriundas de campos de estudos diferentes soam dissociadas. No entanto, a meu ver, têm muito em comum, podendo ser consideradas elementos componentes biopsicobiológicos relacionados ao trauma e ao TEPT.

Há um período inicial do nosso desenvolvimento psíquico que vai desde nossa vida fetal até os primeiros dias de nascimento, coincidindo com o período de *holding* de Winnicott, quando qualquer alteração da regularidade do ritmo e da frequência das experiências sensoriais inerentes aos processos vitais, desencadeia uma angústia intensa relacionada à interrupção do sentimento de continuar sendo. A essa angústia o ser reage com uma primeira forma de defesa. É o retraimento para o estado anterior de regularidade, independente da idade do feto ou do recém-nascido, que propiciava os processos de maturação psíquica e motora. O Ser volta a usar essa defesa ao longo de sua vida, sempre que não puder fazer frente à realidade interna ou externa ameaçadora, isto é, não puder lutar ou fugir do perigo iminente que lhe cause uma ameaça de morte física ou psíquica (perda do que pode juntar em termos de formação do ego psíquico). É anterior ao falso *self* e a posição esquizoparanoide. Aquilo que mais a caracteriza é a ausência de um sujeito interpretante. Portanto, não existe ainda uma relação sujeito-sujeito. Para o feto ou o recém-nascido, a mãe ou seu substituto é apenas um objeto. Assim como ele mesmo não tem ainda uma subjetividade.

Seu automatismo, ditado pela filogênese, tem um ritmo e uma intensidade constante. Essa experiência-sensação não é uma presença inerte. Devido ao sistema nervoso autônomo, ganha o status de coisa em si, que fortalece o sentimento de continuar existindo física e psiquicamente, dando ao Ser um sentimento de coesão. O feto, provavelmente, se masturba ou leva as mãos à boca para gerar uma experiência sensorial tátil (uma experiência autista) que é autoapaziguadora, do mesmo modo como procuramos apertar na mão as chaves do carro ou morder a tampa da caneta em estados de insegurança.

Recolhido a essa experiência-sensação, o Ser incipiente, o feto, o bebê, a criança, o jovem, o adulto ou o idoso, vivendo em condições mínimas de vida, à espera de condições mais seguras de voltar ao mundo dos vivos, pode permanecer assim por tempo indefinido, embora procure arranjos que o capacitem para retomar seu processo de maturação.

A sintomatologia resultante é aquela mencionada no início do trabalho. Basicamente, sintomas de retraimento (autismo) ou hiperestimulação, dependendo da intensidade, da proximidade e da memória procedural relacionada ao perigo.

A desconexão pode permanecer presente ao longo da existência de seu portador. Talvez, aqui, seja pertinente a afirmação de Freud (1923) de que "o ego é antes de tudo corporal", isto é, tem uma parte orgânica. Isto é verdadeiro principalmente se considerarmos aquela parte do Ego ligada aos procedimentos e que nunca se torna consciente (Kandel, 2003).

Esse paciente não está expressando nenhum conflito ao usar uma linguagem corporal. Os sintomas não são representantes simbólicos de um conflito envolvendo a libido. São respostas subordinadas a um ato reflexo ditado pelo seu sistema nervoso instintivo, como nos animais, tipo reflexo condicionado.

Material clínico: uma sessão

Valéria é uma paciente de difícil manejo. Tem manifestações de TEPT, como sentimento de vazio, de desvitalização, retraimento pessoal, sonolência diurna, desânimo, amnésia, dificuldade de concentração, medo de sair à rua e emagrecimento acentuado devido à anorexia nervosa da qual é portadora. Sente-se desconectada de seu ambiente de trabalho e ambiente social. Destaca-se na sua história pessoal o trauma da separação dos pais e abuso sexual na infância.

Valéria está em início de tratamento. Este é o relato da terceira sessão. Houve uma dificuldade para acertarmos seu horário pelo acúmulo de suas tarefas no trabalho. Mostrou-se ansiosa para agendá-lo antes do final de semana, e desejei atendê-la, facilitando-lhe as alternativas. A solução encontrada foi um horário mais cedo do que o meu habitual.

Chega no horário combinado, nem mais cedo, nem mais tarde. Vestia uma saia preta e uma blusa vermelha e dava a impressão de que estava com boa disposição. Ainda na sala de espera, pediu-me desculpas pelo horário. Disse-lhe para não se preocupar comigo, que estava tudo bem.

Entra e assenta-se. Observo seu corpo e seu rosto emagrecido, onde mora um olhar retraído, mas bem definido.

Logo perguntou-me o que estava achando da sua doença.

Para responder-lhe, procurei lembrar os seus relatos e sinais clínicos anteriores e um possível diagnóstico clínico. Ocorreram-me alguns traços de memória, apenas fragmentos. Havia descrito um quadro de maus tratos com abuso sexual na sua infância sem pormenores e, mesmo assim, eu não os havia retido conscientemente. Também, um quadro de anorexia nervosa com várias tentativas mal sucedidas de tratamento, um casamento fracassado, uma história de vida ativa para sua fragilidade física e uma história de bailarina clássica.

Essas lembranças parciais e rasas fizeram-me ver que estava desconectado dela, razão do meu esquecimento em relação a dados e fatos relatados nas duas primeiras sessões. Valorizei essa desconexão como gerada pela nossa relação, e a presidi-la. Entendi que não podia ficar prisioneiro dela para haver análise, e precisava dizer-lhe isso em resposta à sua pergunta.

Disse-lhe que achava que poderia ajudá-la se ficássemos conectados e estabelecêssemos com regularidade e ritmo um número de sessões para nos servir de chão.

Valéria olhou-me, tocada por minhas palavras, e disse que concordava. Sua angústia maior era a falta de sequência na sua vida e a falta de chão o que, concretamente, sentia várias vezes ao dia e que a obrigava a deitar-se, no intervalo do almoço.

Em seguida, perguntou se havia ligação entre sua anorexia e o que lhe aconteceu, quando tinha oito anos.

Achei esse um momento adequado para começar a fazer as ligações que me escapavam.

Disse-lhe sim, e pedi para falar-me de novo sobre aquele tempo.

Não se mostrou surpresa ou incomodada. Ao contrário, se dispôs a recontar os fatos. Pareceu ter compreendido minha confissão da dificuldade em retê-los ao ouvir o seu relato anterior. Não me acusou de desligado, como era esperado acontecer.

Falou-me, então, de modo mais pausado e descansado, da separação dos pais quando tinha quatro anos, do seu afeto pelo pai, dos abusos sexuais por parte do padrasto durante seis anos e das seguidas ameaças de sua mãe de expulsá-la de casa, quando tentava narrar-lhe esses abusos. Foram anos de tormenta, tortura e condenação ao silêncio. Acreditava que, por esse motivo, sua menarca acontecera aos quinze anos, seus ciclos menstruais espaçaram-se com os períodos longos de amenorreia e o início dos sintomas da anorexia.

Sem que eu a interrompesse, prosseguiu contando seu demasiado apego aos estudos e à dança, primeiro a clássica, e depois a moderna. O curso de Direito sem consultar a si mesma pela escolha. A Filosofia pelo período de oito meses. O curso de aprimoramento dos movimentos corporais, que não existia em sua cidade, e que só frequentou por quatro meses, porque não tolerou a ausência dos familiares. A pós-graduação em Administração. O primeiro trabalho como professora de inglês e, finalmente, sua atividade atual. Para tanto, submeteu-se a uma seleção que exigia do candidato curso superior, conhecimentos na área de mercado de trabalho, que falasse bem o inglês e tivesse um bom desempenho na entrevista pessoal.

Disse-lhe que agora estávamos conectados e que poderíamos ter o mesmo sucesso que obteve na sua vida profissional ao reunir seus estudos para chegar ao seu trabalho atual, fazendo a conexão das suas aquisições.

A sessão estava próxima do final e pediu para falar de outra preocupação sua, naquele momento. Era com o ex-marido. Falou que ele não estava bem, e não sabia se o acolhia em casa ou negava-lhe sua companhia. Ainda gostam um do outro, mas não conseguiram viver juntos. Ele julgava insuportável seu ritual da anorexia, o fato de ela querer sua casa mobiliada com os móveis doados pela mãe, e só aceitar relações sexuais fazendo uso da camisinha.

Falou de uma forma rápida e pediu, ainda, para dizer da sua anorexia. Mencionou, de novo, rapidamente, que passou a alimentar-se com chocolate, ingerindo-o compulsivamente, medindo sempre as calorias ingeridas para mais, e obrigando-se à noite ou no dia seguinte a fazer vômitos ou beber água para eliminação dos excessos.

Esse último relato levou-me a pensar, de imediato, na sua anorexia. Relacionei-a à personalidade esquizoparanoide. Pensei que lhe faltava confiança para acreditar no bem e no bom, e viase obrigada a eliminar o alimento ingerido para preservar o que de bom tinha dentro de si.

Outro lado meu, no entanto, ficou ligado na forma rápida com que falou, aos seguidos pedidos para falar e a sua possível preocupação com o final de semana, expressada com o seu empenho para agendar esta sessão e pela preocupação com o ex-marido. Percebi, então, que sua prioridade, naquele momento, era a preocupação com o fim-de-semana.

Perguntei-me porque estava teorizando sobre sua anorexia, se esta não era sua prioridade naquele momento. Entendi que a teoria era um arranjo tranquilizador (monitorava-a com facilidade) e, de posse desse entendimento, soltei-me à procura da minha subjetividade. Ocorreu-me, então, a lembrança dela como bailarina e da lenda da Bela Adormecida, condenada a viver dormindo por cem anos, vivendo dentro de limites mínimos, desconectada do mundo dos vivos. Estava temerosa de que, devido à desconexão, do mesmo modo como acontecera ao chegar para a sessão, eu poderia ficar desconectado dela e ela de mim, naquele final de semana.

Disse-lhe: Você se parece com a Bela Adormecida, cuja história você conhece. Você vive dentro dos limites de preservação e continua temendo que a desconexão vá me manter afastado. Mas da minha parte vamos continuar juntos.

De novo, me olhou, descansadamente, dizendo sentir-se compreendida.

Acertamos os detalhes da análise e nos despedimos.

Discussão da sessão

Valéria chegou na hora marcada como ocorrera nas duas sessões anteriores. Nem antes, nem depois. Vive na linha do exato, do necessário, do limite.

O horário cedo é, também, sintomático. Relaciono-o com o processo de refeitura do Ser pelo sono, de que eu e ela precisávamos para levar adiante a sessão. Vim para a mesma, já disposto a aceitá-lo, achando que, também, estaria mais descansado. Isso está de acordo com as Neurociências, que vêm demonstrando a função reparadora do sono e do sonho (Imbasciati, 2001).

Sua pergunta, sobre como via sua doença, encobria o medo de eu não dar conta do meu movimento para a desconexão, no que estava certa. Isto foi confirmado pela forma segmentada como me lembrei dela e de seu relato. Estávamos preocupados e intimidados com a possibilidade de não conseguirmos dar andamento à sua análise pela geração, em nossa relação, do terceiro sujeito subjugador (o movimento para a desconexão), conforme Ogden (1996). Certamente, seus médicos e terapeutas anteriores não tiveram essa minha percepção de si mesmos e da relação. Atuavam movidos pela angústia subjacente. Sentiam-se insuficientes para lidar com as inclinações voltadas para a desconexão e propunham outros tratamentos auxiliares, que se tornavam pontos de referência, como acontecia, ainda hoje, com seu antidepressivo.

Esse entendimento estimulou-me e isso foi transmitido à paciente pela minha interpretação da desconexão. Precisávamos ficar conectados e constituir um chão para caminharmos num ritmo regular e previsível. Esse não podia ser nem muito frequente, nem muito espaçado, para haver sintonia com suas limitações, permitindo que fosse deixando com mais leveza e segurança sua inclinação para a desconexão. Considerei importante valorizar os movimentos de retraimento da paciente que a levavam a manter-se minimizada. Nem mais cedo, nem mais tarde; nem muito, nem pouco; nem distante, nem tão próximo; o bastante para estar inteira comigo, sem se sentir ameaçada de abusos de minha parte, como ocorrera na sua infância-adolescência.

Minha interpretação levou Valéria a sentir-se mais segura.

Deu o primeiro passo, ao perguntar se havia relação entre suas dificuldades atuais com os fatos que me narrou sobre o que lhe ocorrera aos oito anos de idade.

Percebendo a importância de me manter conectado com ela, pedi-lhe para contá-los outra vez. Na verdade, queríamos distância dos pormenores relacionados aos abusos sexuais ocorridos, provavelmente com muita frieza e crueldade por parte do padrasto, e à conivência da mãe, e era preciso admitir que isso era muito forte em nós dois, mas que, juntos, iríamos além.

Prontificou-se a repetir, sem se mostrar surpresa ou incomodada. Este foi um momento fundamental da sessão, porque pudemos descentralizar o analista e a paciente de pessoas que julgam tudo saber e tudo poder, para permitir a emergência da nossa finitude e a necessidade de estabelecermos uma assimetria horizontal (Assis, 1999) para continuarmos. Não importava quem fosse contribuir com mais ou menos. O que valia era estarmos dispostos a nos fortalecer. Provavelmente, quando lhe mostrei meu desejo de ouvi-la, talvez, pelo tom de minha voz e meu olhar, já me sentiu diferente de sua mãe, que a ameaçava e a impedia de falar daqueles fatos.

Encorajada, repetiu o relato desses. Sua fala e seu olhar não eram mais aflitos. Estava mais descansada. Repetindo-os, introduziu variações, porque não se conta a mesma história com os mesmos pontos e vírgulas. Falou da separação dos pais aos quatro anos, chegando até os fatos da sua história pessoal atual.

Entendi que estava conectada comigo, do mesmo modo como havia feito com suas aquisições para entrar no trabalho atual. Mostrei-lhe isso.

A sessão estava próxima do final, mas pediu para falar da angústia do ex-marido, e contar a história da sua anorexia. Falou de um modo rápido.

Num momento inicial, apeguei-me à compreensão da sua anorexia pela teoria conhecida por mim, e segundo a qual tudo pode ser arranjado dentro da minha previsibilidade. Logo, dei-me conta de que era para me acalmar.

Então, ficou clara sua prioridade com o nosso fim-de-semana. Veio-me à lembrança sua vida de bailarina e a história da Bela Adormecida, com seus desdobramentos de viver na borda da vida, dentro do mínimo. Como a personagem, a paciente passara a viver dentro do limite zero de sua continuidade, o que a levava ao espaçamento das menstruações, à amenorreia, à frigidez e à anorexia, sintomas sempre associados. Pude, então, compreender que seu medo era de que, assim como ela, eu voltasse a me desconectar dela, naquele fim-de-semana.

Conclusão

Parece-me bastante procedente a preocupação atual da comunidade psicanalítica e da Neurociência em valorizar e estimular os estudos e as pesquisas relacionadas ao trauma. Os progressos apontados neste trabalho devem conduzir-nos à reformulação de dogmas e paradigmas clássicos da Psicanálise para atender as demandas e as mudanças no tratamento de pacientes portadores de TEPT, em número cada vez mais crescente.

Embora muitos psicanalistas estejam voltados para o entendimento das causas subjacentes aos sintomas, sem se deter no diagnóstico, tipo DSM-IV, considero o diagnóstico clínico do TEPT e da desconexão importante para o trabalho de análise. O diagnóstico devolve à Psicanálise sua proposta inicial de ser um método de tratamento das doenças mentais. A meu ver, estes diagnósticos permitem a análise destes pacientes, ao contrário do que se pode pensar, evitando os constantes *actings in* e *actings out,* indesejáveis para o tratamento, ameaçando-o ou ameaçando a própria vida do paciente.

O diagnóstico foi importante para a compreensão dos sinais e dos sintomas de Valéria e dos arranjos que a levaram em busca do mundo dos vivos: as danças modernas, vivas, eletrizantes e contagiantes; os vários cursos interrompidos; o ex-marido que lhe prometia um mundo de artes. É uma história segmentada, organizada dialeticamente entre o sono e a vida, entre a insuficiência e a ansiedade de morte.

Auxiliou, ainda, no entendimento de sua pessoa. Valéria está em situação embaraçosa porque, além dos perigos concretos do viver, ainda existe algo mais difícil de administrar, que é a sua realidade psíquica, povoada da mãe e do padrasto malvado. Esses estão introjetados no mundo interior ou projetados nas pessoas do mundo externo, e ela vive relações interpessoais povoadas de angústia persecutória. Segundo ela, todos estão prontos para nova onda de abusos. Nesse estado, apresenta as angústias e defesas da posição esquizoparanoide, que acentuam a busca da desconexão e o retraimento. Aqui prevalece o isolamento persecutório. É diferente do retraimento autista, último recurso restante, levando-a a viver como a Bela Adormecida, hibernada à espera do príncipe salvador. Assim vive Valéria, em nível mínimo de excitação sensorial.

Em sessão posterior, contou-me o seguinte sonho, que se repete sempre: "Eu levitava, subindo e descendo, ora ultrapassando o marco superior da porta (minha interpretação: esta é a porta divisória de entrada e saída para o mundo dos vivos) e, por vezes, aparecia-me um rapaz do outro lado, oferecendo-me um doce. Não me lembro de ter aceitado".

A desconexão não é uma patologia clínica, do mesmo modo que a posição esquizoparanoide ou depressiva também não o é. Pode ter sua origem na posição autista-contígua do nosso desenvolvimento psíquico, em decorrência de um trauma com uma vivência de morte. O Ser se retrai em busca do ritmo maquinal das experiências sensoriais inerente aos processos vitais.

Essa compreensão tem-me auxiliado no entendimento da técnica mais adequada para trabalhar com o paciente recolhido à sua desconexão.

Quando faço esse diagnóstico, acredito que fico mais apto para oferecer ao paciente um meio para promover a finalização do trauma, tema para outro trabalho. Esse paciente necessita de uma postura nossa que seja côncava, tecida pela escuta calma e confiante, o toque físico respeitoso, a regularidade do *setting* e o trabalho interpretativo adequado, seja o verbal ou a interpretação em ação. Precisamos aceitá-lo vivendo no mundo dos semivivos, onde se encontra apaziguado, à espera do fortalecimento e do meio mais propício para a retomada dos processos de desenvolvimento.

As melhoras clínicas são lentas, porque a elaboração dos medos desenvolve-se em nível orgânico e psíquico. Por isso, registro para o paciente os sinais de melhora, por mais insignificantes que lhe possam parecer, e enfatizo sempre a minha convicção de que poderemos ir mais adiante.

Não podemos impor o número de sessões, porque urge respeitar as disponibilidades emocionais do paciente, que vive dentro do mínimo para realizar essa tarefa nada simples para ele, nem para nós. Por isto penso que a Terapia Cognitiva, como defende a Neurociência, não é o tratamento mais indicado para esse tipo de paciente.

A técnica tem de ser adaptada para o paciente, e não este ser adaptado à técnica.

Sinto-me mais seguro para desfazer-me da teoria clássica. Isto facilita identificar os sujeitos resultantes da interação das subjetividades, tanto minha quanto à do paciente. Esses sujeitos mudam a cada momento, a cada sessão e ao longo do tratamento.

Este conceito de intersubjetividade é indispensável, porque permite identificar a matriz da transferência e da contratransferência. Auxilia a descobrir se estamos interagindo dentro de modo autista-contíguo de gerar experiência psíquica, ou se estamos no modo esquizoparanoide ou depressivo. Este conceito auxilia-me a preservar a originalidade, renascendo com o paciente a cada momento. Facilita-me ver, do alto e de fora, os movimentos da dupla em busca da compreensão e do momento adequado para a interpretação.

Capítulo VII

A metamorfose de Kafka e a Desconexão (2004b) *

"Ao despertar pela manhã após ter tido sonhos agitados, Gregor Samsa encontrou-se em sua cama metamorfoseado num inseto gigantesco".

Franz Kafka

Este trabalho tem a finalidade de enriquecer meu conceito de Síndrome de Desconexão (Salim, 2003) por meio da obra literária de Kafka, *A metamorfose*, após ter-me desfeito de dogmas que me paralisavam. Permitiu-me, ainda, entender as desconcertantes nuances de comportamento de Samsa Gregor, principal personagem desse conto.

Inicio o trabalho com considerações sobre a biografia e a obra literária de Kafka, acreditando existir uma relação entre a personalidade do autor e essa sua ficção literária.

Considero essa obra literária moderna e ousada, contendo, em 1915, a tendência contemporânea para explorar a loucura e o terror.

---

* Trabalho publicado na *Revista da Academia Mineira de Letras*. 2004. 82 (34): 173-193.

Nota explicativa

Este trabalho resultou dos estudos feitos e da minha inclinação pessoal pela Literatura. Em meus tempos de jovem, tentei ler esta obra literária, como fiz com muitas outras. Não consegui. Achei-a árida, sem lirismo e de difícil entendimento. Guardei o volume comigo e, por época desses estudos, sem atinar para minha experiência anterior, selecionei-a para leitura de férias. Foi com surpresa que constatei uma facilidade para lê-la e, mais ainda, para identificar em Gregor Samsa, um paciente pós-traumático.

Resolvi fazer da sua leitura um elemento a mais para ilustrar a Síndrome de Desconexão, a exemplo de Freud com o *Édipo Rei*, de Sófocles, e o Complexo de Édipo.

Acredito na hipótese de que Kafka teve um sonho semelhante ao conteúdo da história narrada e usou sua imaginação ousada para transformá-lo nessa obra literária, de conteúdo onírico e fantasmagórico.

O trabalho de interpretação do conto é precedido de um resumo deste, e é feito seguindo sua narrativa passo a passo, relacionando-a aos conceitos desenvolvidos na elaboração do meu conceito da Síndrome de Desconexão.

Acredito que *A metamorfose* tem a ver com a personalidade do autor, razão pela qual acho importante falar de sua pessoa e de sua obra literária.

Biografia de Franz Kafka

Kafka nasceu em Praga, em 1883, onde viveu toda sua vida. Seu pai era um abastado comerciante judeu. Uma figura autoritária e ao qual escreveu uma missiva tornada célebre (e que nunca chegou a ser entregue), sob o nome de *Carta ao Pai*, na qual, com patética penetração, expõe o conflituoso relacionamento entre pai e filho. Sua mãe foi considerada uma pessoa apagada diante do marido austero. Teve mais três irmãs que vieram a morrer nos campos de exterminação nazista. Formou-se em Direito, em 1906, e trabalhou por oito anos em uma companhia seguradora.

Em 1914, Kafka foi vítima de depressão, de provável relação com sua realidade psíquica plena de conflitos, marcada pelas descontinuidades amorosas e os desentendimentos familiares.

Permaneceu solteiro até a morte. Ficou noivo duas vezes da mesma mulher, não se casou com ela, nem com as duas outras mulheres que marcaram a sua vida: a escritora tcheca Milena Jesenká-Pollak e Dora Dyamant, que conheceu no final de sua vida.

Pode-se dizer, ainda, que o início da Primeira Grande Guerra, naquele ano, teve uma participação na causa dessa depressão, pois ele profetizava a triste história do povo judeu diante do nazismo. Seus livros vieram a ser proibidos de comercialização pelo Estado instalado.

Portador de tuberculose, Kafka teve uma primeira hemoptise em 1917, quando contava 34 anos. Faleceu em 1924. Viveu os dois últimos anos internado em um sanatório, próximo de Viena, tendo como sua companheira inseparável a "iniludível, a mais indesejada das gentes", conforme se referia à morte o poeta brasileiro Manoel Bandeira. Morreu sentindo-se fracassado como homem e escritor.

A obra literária

Franz Kafka foi educado sob a influência da cultura judia, tcheca e alemã. Toda sua obra literária foi escrita em alemão. De temperamento introvertido, extremamente inquieto e desastroso em relação às condições do mundo onde vivia, e que achou muito estranho, sempre foi uma pessoa deslocada de seu convívio pessoal e familiar. Não era um escritor político no sentido estrito da palavra, mas seus trabalhos continham sempre um teor de denúncia contra a feição autoritária e brutal presente nas relações das pessoas com aqueles que eram autoridades. Seus escritos demonstravam sempre a fraqueza do ser humano diante do poder. Sua obra é doída e feita com o intuito de parecer baseada no sofrimento. Tudo com tal requinte, que até as deformações são precisas.

A obra de Kafka reflete uma realidade de sua época. É um marco na História da literatura, apesar de considerada por muitos como simples delírio de uma mente patológica.

Seu primeiro livro publicado foi *Consideração*, em 1913. Escreveu até 1921. Entre outros se destaca *O Processo, Cartas ao pai, O castelo, América, Um artista da fome, Na colônia penal, A Metamorfose, A sentença* e *Um médico rural*.

Esses quatro últimos foram publicados em vida. Os outros, Kafka pediu ao seu amigo Max Brod para destruí-los após sua morte. Contrariando sua promessa a Kafka, Brod mandou-os para publicação.

Como curiosidade, cito a relação de conteúdo entre a obra de Kafka com Dostoiévski e seu conterrâneo e contemporâneo José Maria Rilke. Todos os três escreveram sobre problemas existenciais do homem relativos à época em que viveram.

Sobre *A metamorfose*

Kafka terminou de escrever *A metamorfose* em 1912. Só foi publicada em 1915.

Narra a história de Gregor Samsa, um jovem caixeiro-viajante que vive com sua família (pai, mãe e uma irmã) e a mantém financeiramente.

Certa manhã, desperta metamorfoseado em uma grande barata. Vê-se em dificuldades para aprontar-se e pegar o trem que o levaria a seu local de trabalho. Percebe sua fala modificada, seus movimentos motores mais lentos e sua mente entorpecida. Como Gregor não apareceu no serviço, seu chefe foi à sua casa para avaliar a razão da ausência. Gregor é obrigado a mostrar-se ao chefe e seus familiares. Sua apresentação causa repugnância geral. É enxotado de volta para o quarto pelo pai. Esse lhe atinge nas costas com uma maçã, causando-lhe um sangramento. Outra maçã, atirada posteriormente pelo mesmo, fica cravada em seu corpo, causando-lhe uma infecção grave que, associada a maus tratos, levam-no a optar pela morte.

O estilo literário de Kafka, nesse conto, adentra a modernidade, apresentando, para além do lirismo romântico, uma abordagem surrealista impregnada de horror. Sua narrativa é densa, arrastada e monótona, beirando o cansaço, o desinteresse pela vida, refletindo assim o tédio vivenciado pelo personagem-autor em relação ao humano e do próprio mundo em relação a ele e seu verdadeiro Ser.

Gregor é recusado como ente real refletido na horrível aparência de barata rejeitada pelo consenso habitual. Há traços de uma asquerosa, nauseante e aflitiva narrativa sobre a vida interior desse personagem. Sua essência é eivada de uma angústia rouca permeando toda a temática.

Kafka se apropria de um método alegórico, imitando a linguagem onírica. Há uma analogia e adequação com situações reais absurdas que se entulham no curso da vida humana.

A linguagem utilizada é dotada da coragem da palavra do autor para revelar em detalhes aquilo que o Ser humano deseja negar sempre: a possibilidade da descontinuidade da existência.

A narrativa impacta, desde a frase inicial, pela descrição da metamorfose acontecida a Gregor Samsa: "Ao despertar pela manhã após ter tido sonhos agitados, Gregor Samsa encontrou-se em sua cama metamorfoseado num inseto gigantesco".

Para Gabriel García Márquez, o êxito literário de *A metamorfose* está relacionado a esse início que, segundo disse, "prende o leitor até o fim pelo inusitado do descrito". Penso que nem sempre é assim. Há uma ambiguidade do homem diante do terror e da tragédia, que prende uns, mas espanta outros. Para muitos, em especial jovens que buscam na literatura um mero entretenimento, o texto de Kafka pode ser considerado ultrapassado. A narrativa, porém, insiste nas premissas da arte contemporânea, que inclui o insólito, o incognoscível, o absurdo, o patético e o fantasmagórico.

Há outro conto de Kafka, *O texugo*, no qual descreve situação idêntica à de Gregor em *A metamorfose*. O texugo é um pequeno animal, parecido com um castor ou com um ratão do banhado. Quando ameaçado, cava um túnel, em cuja base guarda alimentos, após disfarçar a sua entrada de modo a esconder-se do mundo externo. Porém, fica sempre atento, inquieto ao menor ruído denunciador de uma possível invasão. Percebe, então, ruídos originários de dentro da própria terra, contra os quais sabe não se poder defender. Assim, vive continuamente uma sensação persecutória, perturbadora e exaustiva. Talvez, a situação de todos os seres vivos ameaçados por algum tipo de violência.

A leitura de *A metamorfose* tocou e continua a tocar em questões cruciais da luta existencial de todos que se empenham pelo continuar sendo. *Don Quixote de La Mancha*, (Cervantes), não será mais um relato comovente e tragicômico dessa luta?

O conceito de Síndrome de Desconexão

O conceito de Síndrome de Desconexão (Salim, 2001b) inclui uma psicopatologia, ainda não categorizada como entidade clínica, com sinais e sintomas psíquicos e somáticos específicos. Diferencio-a da depressão maior e do distúrbio bipolar, com os quais guarda semelhança, porém só aparente. A desconexão é resultante de um trauma psíquico (perda, separação, reprovação, humilhação) ou físico (atropelamento, sequestro, maus tratos, trabalho forçado) que promove uma vivência básica de medo da morte ou da loucura. O Ser procura apaziguar-se, elevando-se do mundo dos vivos em busca da sobrevivência. Ausenta-se de si mesmo.

Recolhe-se ao modo do funcionamento psíquico inicial, aquele da vida fetal, onde o sentimento de existir é proporcionado pela percepção de uma sensação sensória em uma superfície corporal ligada ao tato, à audição, ao olfato, à visão ou ao paladar. Essa sensação, quando tem um ritmo e intensidade idêntica àquela ditada pela filogênese, permite um sentimento de continuar sendo e de coesão física e psíquica que favorece os processos de maturação cognitiva. Acaba por constituir uma matriz psíquica confiável.

Frente à adversidade que ameaça este sentimento de descontinuidade, o Ser regride para essa matriz inicial e aí permanece imóvel, isolado, subsistindo com o mínimo necessário para sua sobrevivência. Essa matriz psíquica gera sinais e sintomas que permitem fazer o diagnóstico clínico da desconexão. Esses são concomitantes fisiológicos pré-históricos e pré-simbólicos, porque nesse momento da vida psíquica não há a possibilidade da existência ainda de um sujeito capaz de interpretar o que está acontecendo. Tudo é regulado pelo sistema nervoso autônomo e tem a natureza de um reflexo condicionado. O reconhecimento dessa característica é fundamental para o tratamento da desconexão, porque não passa pelo trabalho interpretativo. Paradoxalmente, acontecem movimentos para sair desse retraimento, dando origem aos sinais e sintomas de hiperestimulação.

A desconexão envolve o medo da morte e da loucura e as defesas de hipo e hiperestimulação. Eu a considero como base etiológica de entidades clínicas como o transtorno de estresse pós-traumático, o bruxismo, as mialgias e muitas outras.

A metamorfose e a Desconexão

Na minha adolescência, tentei ler essa obra, mas achei-a confusa, complexa e cansativa. Interrompi a leitura, mas guardei o exemplar. Certamente, não foi por acaso que o escolhi, recentemente, entre muitos, para acompanhar-me em viagem de férias. Havia algo comum entre seu título e o que vinha tentando descrever como conceito de Desconexão.

Dessa vez, consegui lê-la. Antes tida como incômoda, tornou-se ilustrativa e enriquecedora para a descrição da teoria que vinha desenvolvendo.

Admito que Kafka teve um sonho, suposição esta aceita *a priori* para a elaboração desse ensaio, no qual ele vive a metamorfose que descreve. Depois, usando seus recursos literários dotados de reflexão e profundidade, próprio de sua brilhante mente, compõe essa inusitada criação literária.

Interpretação de *A metamorfose* mediante meu referencial psicanalítico recente

O conto começa com a descrição da metamorfose do personagem, Gregor Samsa, em um inseto do seu tamanho, dotado de muitas pernas e uma couraça, sugerindo uma barata. Tudo acontece após uma agitada noite de sonhos. Ele não se reconhece mais.

"O que me aconteceu? - pensou ele".

Gregor estava sendo vítima de uma transformação física após um período de estresse, como veremos. Essa transformação é frequentemente relatada por pessoas que passam por períodos longos de estresse ou de traumas psíquicos ou físicos violentos. Elas dizem: "Não me conheço mais"; "Já não sou mais o mesmo ou a mesma"; "Luto para voltar a ser como eu era", e assim por diante.

Uma paciente com vinte e dois anos apresenta uma história de vida difícil, com inúmeros acidentes pessoais. Atualmente, passa por momentos penosos com a filhinha acidentada. Precisou afastar-se da cidade e dos seus para permitir à filha um tratamento mais especializado. Está hospedada em casa de familiares e esses a criticam pelo modo como cuida da filha. A paciente sente-se exausta e, em uma sessão, após duas noites sem dormir, relata o seguinte sonho: "Eu estava com algumas colegas e me aparece aquele personagem horrível do filme *O Senhor dos Anéis*, denominado Golum. Ele é monstruoso. É um ser pequeno, todo deformado, com feições faciais repugnantes. Ele tenta falar alguma coisa comigo, mas suas palavras saem incompreensíveis, como se fosse a voz de um animal. Sinto-me com muito medo e acordo". Digo-lhe que esse sonho revela como está se vendo e se sentindo. Isto é, horrível na aparência física e no seu equilíbrio mental. Não muito diferente de Gregor, quando se vê como "um inseto gigantesco".

A metamorfose é um fenômeno comum retratado na literatura, no teatro, na pintura e no cinema. Nessas artes, o homem é representado de diversas formas. Tem o auge nas representações dos deuses da mitologia grega, ora metade homem, metade animal, ora o homem com várias cabeças, braços e pernas, e muitas outras que parecem escapar do alcance da imaginação humana.

Já descrevi, no meu trabalho (Salim, 2003), minhas referências teóricas sobre o trauma, às quais cheguei pela via da Psicanálise e da Psiquiatria. O trauma é uma palavra grega e sua tradução para o português é ferida, ferimento. Traumático é um evento em que a vítima ou uma testemunha se sente ameaçada de perder seu sentimento de continuar sendo física e psiquicamente. Pode não ter ocorrido um evento com dimensão real de morte iminente ou de loucura, mas se for assim que ele ficar registrado na realidade psíquica da pessoa, pode se tornar patogênico.

O trauma pode ter uma natureza física ou uma natureza psíquica. Seu portador carrega sua marca e os sintomas físicos e psíquicos decorrentes do mesmo ao longo da vida, assim como a defesa básica utilizada para manter-se apaziguado: a desconexão.

É bastante significativo o fato de o início da narrativa destacar a presença de um quadro pendurado no quarto de Samsa Gregor, com uma fotografia de mulher, envolta por peles no pescoço, caindo sobre os braços, dias antes da metamorfose.

A valorização da existência deste quadro na narrativa ocorreu-me, porque já havia escrito um trabalho sobre a segunda pele, que denominei *Remendos para uma superfície sensorial* (Salim, 2002). Neste, destaco a existência de arranjos de natureza psíquica e orgânica, que funcionam como uma segunda pele com a finalidade de aliviar a angústia da desintegração, resultante de uma ferida da superfície sensorial. Ilustro-o com o estudo da fantasia do Homem-Aranha em nossas vidas. Utilizo um estudo de Bick (1968), no qual a autora descreveu a importância da "segunda pele", muitas vezes representada pela mãe boa, para o apaziguamento do bebê.

Esse quadro é um desses remendos, o que já indicava que Gregor não estava bem e, várias vezes, durante a narrativa, Kafka volta a mencioná-lo. Provavelmente, seus "sonhos agitados" eram resultado de "agonias impensáveis" (Winnicott, 1962), resultantes de um estado que tem o cheiro da morte.

Kafka escreve: "Samsa recortara, recentemente, uma fotografia de uma revista ilustrada e a tinha colocado numa bela moldura dourada. Representava uma dama com chapéu de pele e boá de pele que, sentada em posição ereta, erguia ao encontro do espectador um pesado regalo também de pele, no qual desaparecia todo o seu antebraço".

Após citar esse arranjo, Kafka prossegue descrevendo os sintomas decorrentes da metamorfose ocorrida.

Ocorre uma exacerbação da sensibilidade sensorial ao estímulo físico auditivo, como se a superfície auditiva estivesse desnudada.

Gregor se queixa: "Mas como era possível dormir com aquele ruído - do relógio - nos ouvidos"?

Ou:

"A maior dúvida vinha da preocupação com o estrondo que faria ao cair, e que provavelmente causaria, se não susto, um certo terror, por trás daquelas portas".

Kafka está referindo-se à intensidade do barulho que o próprio Gregor ouviria. Sim, para ele seria parecido com um trovão, como é o barulho das fezes para o feto (Winnicott, 1962). Na verdade, os outros presentes mal perceberiam sua queda.

Depois cita uma alteração do psiquismo. Há um entorpecimento (embotamento) mental caracterizado pela lentidão do pensamento, da memória, do raciocínio, da orientação no tempo e no espaço, do juízo crítico e as outras funções cognitivas.

Escreve Kafka: "Gregor sentia-se bem, exceto por uma espécie de entorpecimento. Acordar cedo assim deixa a pessoa embotada. O ser humano precisa ter seu sono".

Relata, ainda, alterações ligadas a alterações das atividades motoras como o andar, falar, comer, ouvir, enxergar e outras.

Menciona Kafka: "Gregor assustou-se quando ouviu sua própria voz responder. Era inconfundivelmente a voz antiga, mas nela se imiscuíam, como se viesse de baixo, uns guinchos irreprimíveis e dolorosos, que só no primeiro momento mantinham literal a clareza das palavras, para destruí-las de tal forma quando acabavam de soar, que a pessoa não sabia se havia escutado direito".

Descrevendo outras manifestações motoras, Kafka continua: "Assim sendo, procurou, primeiramente, mover a parte superior do corpo e, vagarosamente, movimentou a cabeça na direção da beirada da cama. Aquilo foi difícil e, apesar do esforço para respirar e o imenso volume de seu corpo, este, finalmente, acompanhou o movimento de sua cabeça. [...] Todavia, sentiu-se amedrontado demais para continuar avançando e assim era preferível continuar na cama".

Permanecer na cama ou sentir uma sonolência incontrolada é uma manifestação de esse permanecer imóvel. O Sujeito permanece suspenso no mundo dos semivivos à espera do retorno do ambiente confiável.

Sem dificuldade poderemos observar animais que se fazem de mortos, como o faz uma presa impotente diante do predador que deseja devorá-la, como uma última chance de sobreviver. Já descrevi (Salim, 2003) como o homem, não tendo mais forças para fugir ou reagir ao agressor, tende para a imobilidade, que pode ser detectada através de vários sintomas físicos e psíquicos, até então considerados funcionais, ou simplesmente serem desconsiderados.

Kafka prossegue com a narrativa oferecendo uma ideia melhor da situação traumática na qual Gregor vivia.

Assinala Kafka: "Se eu não tivesse que sustentar esta situação - o emprego - por causa de meus pais, há muito tempo que teria pedido demissão, e dirigindo-me ao meu chefe, ter-lhe-ia dito o que penso dele".

Seu chefe autoritário vem à sua casa para saber o motivo do atraso.

Prossegue Kafka: "Como Gregor não chegasse ao trabalho, seu chefe veio à sua casa saber o que se passava, pensando mais no seu negócio do que na pessoa de Gregor".

Sua mãe sai em sua defesa, pensando mais nela e nas consequências de sua dispensa do emprego do que na pessoa do filho: "Ele não deve estar passando bem - observou sua mãe ao visitante. Não deve estar bem, pode crer, meu senhor. Senão, o que mais poderia tê-lo feito perder o trem? Esse moço não tem outra coisa na cabeça a não ser a firma. Chego a ficar irritada de vê-lo sempre em casa à noite. Agora, esteve oito dias na cidade, mas passou todas as noites em casa. Sua única distração consiste em molduras decorativas. Uma delas está pendurada em seu quarto e verá quão bonita ela é, logo que ele abrir a porta. Tenho certeza de que não está passando bem, embora não veja motivo para que isto ocorresse esta manhã".

Destaca-se nesse trecho da narrativa um elemento para entendermos o porquê da metamorfose de Gregor. Trata-se da rigidez do chefe, denunciada pela vinda à casa de Gregor, e das justificativas da mãe, preocupada em justificar para ele a ausência do filho no trabalho.

Gregor também é muito rígido consigo mesmo. No início da narrativa, não se sente bem ao acordar, mas ainda assim tenta a qualquer custo levantar-se para não perder o trem. Soma-se a esta, a rigidez de seu pai, como veremos adiante.

Outro elemento etiológico é a incapacidade da mãe para compreender as demandas de auxílio de Gregor. Ela percebeu que não estava bem, quando à noite se ocupava com os quadros em vez de sair para se divertir, como um pedido de socorro, mas não valorizou esta percepção. Seu olhar para Gregor era raso e escorregadio.

Diz ela: "Ele está sempre em casa à noite, mexendo com as molduras decorativas".

Winnicott (1962) contribuiu para a Psicanálise e para a Pediatria desenvolvendo uma teoria sobre o desenvolvimento emocional primitivo do bebê, seus processos de maturação e as manifestações clínicas decorrentes de falha na relação mãe-bebê. A mãe assegura para o bebê um sentimento de continuidade de ser. Esta é, talvez, a mais importante contribuição de Winnicott. Para ele, "a mãe suficientemente boa" atende às demandas do bebê e, por vezes, chega antes dele, através da sua "preocupação primária", ensejando-lhe a "experiência de onipotência", fundamental para o fortalecimento de seu sentimento de "continuar sendo". A ausência da mãe boa predispõe o bebê a doenças provocadas pela agressão do meio.

Quando ameaçado, esse bebê tende para os movimentos autistas. Autista refere-se à primeira forma de existir. Não é o mesmo que autismo. O recolhimento de Gregor ao quarto obedece a essa tendência. Nessa mesma linha, podemos entender seu desejo de quietude ou o entorpecimento psíquico: ele desejava apenas sobreviver.

A desconexão tem a ver com esses movimentos. Ogden (1996) foi o autor que mais desenvolveu esse conceito de movimento autista.

Escreveu: "O isolamento do tipo autista-contíguo implica, em algum grau, o ato da substituição da mãe como ambiente por um ambiente sensorial autogerado. Estou propondo que, desde os primórdios da vida psicológica (e ao longo de toda a vida), existe uma forma de experiência na qual a mãe, na condição de matriz psicológica, é substituída por uma matriz de sensação autônoma. Ao substituir a mãe ambiental por esta matriz, o bebê cria uma pausa essencial na atenção (e no terror intermitente) inerente ao processo do vir à luz no âmbito dos seres vivos".

Um paciente psicótico meu deixa o quarto, apenas, para fazer suas necessidades fisiológicas e para vir às sessões de Psicoterapia. Lá de dentro, ele sabe todo o movimento da casa pelas chamadas da campainha, do telefone ou do bater de portas. Em tudo é econômico, vivendo com o mínimo necessário. Apresenta inúmeras escoriações em sua pele pelo coçar incessante da mesma e o roer contínuo das unhas, chegando a ferir a pele que as envolve. Ao roçar a própria pele e roer as próprias unhas, busca a geração de uma sensação física produzida por si mesmo, que o faça sentir existindo coeso física e psiquicamente.

O isolamento de Gregor está justificado, objetivamente, pelas deformações que a metamorfose lhe produziu. Existe uma razão estética para seu isolamento. No entanto, a razão fundamental é à busca da segurança da sobrevivência que o isolamento lhe proporciona.

Kafka prossegue a narrativa de *A metamorfose*, retornando à ênfase da rigidez do chefe e, agora, do pai.

Segundo Kafka, diz o chefe: "Os senhores entenderam uma só palavra do que ele (Gregor) falou? Era uma voz de animal. Certamente, está querendo fazer-nos de idiota".

Quanto ao pai, diz Kafka: "Gritou o pai, pensando adentrar o quarto de Gregor:

- Anna! Anna! - chamou o pai à porta da cozinha e batendo palmas.

- Vá buscar um serralheiro, imediatamente".

Diante disso, Gregor sente-se obrigado a se fazer ouvido e visto, como lhe impunha o pai, categoricamente, neste momento. Sua situação é de uma aflitiva indecisão. O que seria mais recomendável? Sair e correr o risco de produzir asco e repugnância naquelas pessoas ou indispor-se mais com o chefe e o pai pelo silêncio e o afastamento?

Gregor resolve ousar.

"Ouçam - disse o chefe por trás da porta -, ele está virando a chave... Um estalido mais alto demonstrou, finalmente, que a fechadura havia cedido".

A porta se abre: a visão de Gregor foi impactante e despertou sentimento de horror no chefe e raiva no pai.

"Este cerrou o punho com uma expressão feroz, como se pretendesse descarregá-lo sobre Gregor para fazê-lo voltar para o quarto. O pai de Gregor enxotou-o para trás, perseguindo-o com assobios e gritando xó, xó, parecendo um selvagem. Foi quando o pai empurrou-o por detrás com toda força, e Gregor saiu voando para dentro do quarto, sangrando abundantemente. A porta foi fechada ainda com a bengala, depois houve por fim silêncio".

O pai de Gregor estava desapontado com ele.

Escreve Kafka: "Seus pais não podiam entender aquilo; tinham-se convencido durante o transcorrer dos anos de que o futuro de Gregor estava garantido na firma para toda a vida".

Ocorria um estado de incompreensão máxima. É, realmente, como acontece no mundo real. Este paciente é literalmente rejeitado como incapaz, preguiçoso, manipulador, dissimulado, desprovido de força de vontade, mesquinho, covarde, repugnante. Mal sabe aquele que o julga como está necessitado do contato côncavo das peles, dos toques macios e da palavra doce. O Ser desconectado encontra-se em um estado semivivo, afastado do mundo dos viventes. Recolheu-se em si mesmo.

Sartre (1943), com uma aguda sensibilidade da natureza do Ser, põe em palavras um pensamento rebuscado de beleza e realidade, definindo o mais primitivo isolamento pessoal. Diz: "Resta saber em que região delicada e esquisita do Ser encontraremos o Ser que é seu próprio Nada".

Eu acrescento: seu próprio Tudo.

Em outra percepção genial Condillat (1775), diz: "Essa sensação é que dá ao Ser a noção de estar existindo". Ilustro esta ocorrência com a observação de uma ultrassonografia fetal. Esta mostra como o feto toca com as mãos seus órgãos sexuais, sua boca e suas orelhas. Entendo que esses movimentos são arranjos para se propiciar uma experiência sensória apaziguadora, objetivando sentir-se vivo e com coesão. Por outro lado, estas experiências vão-lhe possibilitar meios para os processos de maturação psíquica. Não é diferente no adulto, quando este aperta em suas mãos a chave do carro, permanece imóvel enrolando seus próprios cabelos, ou o religioso que prensa entre seus dedos as contas do seu terço. Gera uma sensação de que é o Nada e é o Tudo. Está em um modo autista de viver, no qual permanece apaziguado.

A narrativa prossegue mostrando que todos repudiam Gregor, com exceção de Grete, sua irmã. Esta lhe dedica cuidados mas, ainda assim, o sente repulsivo.

Escreve Kafka: "Sua irmã, porém, avistou a tigela, imediatamente, sentindo-se surpresa ao vê-la, exceto por um pouco de leite que ele derramara no chão, e tratou logo de pegá-la. É verdade que não o fez com as mãos nuas, mas com um pano de prato, levando-a embora".

Em seguida, Kafka faz menção a outro sintoma frequente na desconexão. O paciente passa a comer menos ou mais, beirando a anorexia nervosa ou a bulimia. Isto é resultado da busca da hipoestimulação ou da hiperestimulação. Na primeira, vive com o mínimo, só para garantir o sentimento de que está vivo. Na segunda, nega os riscos da descontinuidade.

Uma paciente com anorexia alimentava-se quase só de chocolate pela facilidade de medir o número de calorias ingeridas. Quando exagerava na ingestão deste, obrigava-se ao vômito e à ingestão excessiva de água.

Narra Kafka: "Dias comia bem, a ponto que a lauta refeição inchara seu corpo de tal forma, que se sentia comprimido por baixo do assento do sofá - lugar onde se escondia, mal podendo respirar - e quando não comia, o que vinha ocorrendo mais frequentemente, ela murmurava quase com tristeza: deixou tudo outra vez".

Nessa altura do conto, Kafka mergulha um pouco na história pessoal de Gregor. Há cinco anos, o pai de Gregor passara por um colapso financeiro.

Relata: "Naquela época, o único desejo de Gregor era fazer o máximo para auxiliar a família a esquecer a catástrofe que sobre ela se abatera, deixando-a num estado de completo desespero. Tornara-se um viajante comercial em vez de optar por um cargo de funcionário de escritório, tendo mais chance de ganhar dinheiro. Grete não pode ser enviada para o Conservatório conforme seu desejo expresso. Agora com Gregor, simplesmente, haviam-se habituado àquilo, tanto a família quanto ele mesmo, sendo o dinheiro recebido com gratidão e oferecido com satisfação, sem, contudo, haver nenhuma exibição de um sentimento mais efusivo. Logo de início (após a metamorfose) toda vez que ouvia mencionarem a necessidade de ganhar dinheiro, Gregor abandonava seu lugar por trás da porta, precipitando-se para seu cantinho frio por baixo do sofá, sentindo-se agitado pela vergonha e tristeza".

Os fatores desencadeantes da metamorfose continuavam a alimentar a desconexão, agravando-a. Gregor sentia-se cada vez mais desvalorizado, censurável e repugnante.

Kafka menciona: "Isto fez com que Gregor sentisse quão repelente ele era para Grete sempre que a via. Estava condenado a continuar repulsivo e observou o quanto ela esforçava-se para não fugir dele, mesmo vendo, apenas, uma pequena parte de seu corpo que ficava para fora do sofá".

Aconteceram tentativas da irmã e da mãe, passados os primeiros quinze dias, de ajudá-lo. Resolveram esvaziar-lhe o quarto com a retirada de alguns móveis, a cômoda e a escrivaninha, para facilitar-lhe os movimentos.

Os resultados foram lamentáveis. A escrivaninha e a cômoda retiradas eram-lhe, afetivamente, muito significativas. Também o barulho resultante foi-lhe uma tortura.

Isso é narrado assim: "E o raspar das peças no assoalho tinham-no afetado de tal forma, como se, repentinamente, à sua volta houvesse ocorrido uma agitação tremenda, e por mais que encolhesse a cabeça e as patas, agachando-se completamente, no chão, teve que confessar intimamente que não aguentaria aquilo tudo por muito tempo".

A seguir, Gregor, em um desesperado esforço, sobe pela parede do seu quarto e procura-se agarrar ao quadro da dama, colocado por ele, alguns dias antes, da metamorfose. Abraça-o, ficando colado ao vidro, cobrindo-o com seu corpo enorme. Insinua com este ato um desejo de que a dama do quadro faça o mesmo com ele, envolvendo-o com um abraço de peles, para o apaziguamento da crescente ameaça de morte.

Gregor está desesperado e por isto não se incomoda mais com os riscos de perder a mãe caso esta o veja. Sua irmã percebe a situação e tenta afastar o olhar de sua mãe. Tudo é em vão.

Ao vê-lo, diz a mãe: "Oh, Deus! Meu Deus! - caindo no sofá, completamente, desmaiada".

Nada ia bem para Gregor. Seu pai chega da rua e encontra sua esposa desmaiada.

"Tal qual estava esperando - disse ele. Já tinha avisado, mas vocês mulheres - dirigindo-se à filha - nunca ouvem nada".

Kafka faz uma pausa para falar de uma lembrança de Gregor do pai.

Escreve: "Aquele que, para falar a verdade, nem podia levantar-se, limitando a saudá-lo erguendo os braços, e que nas raras ocasiões em que saía com a família, um ou dois domingos por ano e nos feriados, caminhava entre ele e a mãe, os quais, embora andassem devagar, o pai fazia-o mais lentamente".

Entendo que o pai de Gregor tenha passado por uma desconexão pelo isolamento e pela lentidão de seus passos. Esta foi decorrente do relatado fracasso financeiro, que comprometeu a carreira dos filhos, obrigando Gregor a um trabalho incompatível com seu temperamento e impossibilitando Grete de entrar para o Conservatório. Devia se autoacusar cruelmente.

A aversão do pai por Gregor pode ser entendida, quando o vê em estado semelhante, espelhando-o. Condena-o por aquilo que ele mesmo não conseguira evitar, ou seja, entregar-se aos seus movimentos autistas.

Essa explicação difere da leitura freudiana clássica, pela qual o ódio do pai a Gregor estaria relacionado ao Complexo de Édipo. Não que este não exista entre o pai e Gregor. Só que esta obra de Kafka está relacionada com o tema da sobrevivência, e é esta angústia que permeia toda esta obra de Kafka. Tem mais a ver com a desconexão do que com a castração do Complexo de Édipo.

Prosseguindo, ao ver a esposa desmaiada, fica justificada para o pai de Gregor sua ira para com ele.

Kafka a narra assim: "Avançou para Gregor com uma expressão cruel. Gregor, assim, correu à frente do pai, parando quando ele parava e movendo-se mais depressa quando ele fazia qualquer movimento. De repente, sentiu qualquer coisa atirada sem muita força cair por trás dele, rolando para frente. Era uma maçã, e imediatamente recebeu uma outra. Uma outra, porém, jogada, imediatamente, com um impulso maior caiu sobre o lado direito de suas costas, literalmente penetrando-a. Gregor sofrera um ferimento bastante sério, deixando-o inutilizado mais de um mês. A maçã permanecera grudada em seu corpo, tal qual uma recordação invisível, porquanto ninguém arriscara tirá-la dali".

"Grete agarrou-se ao pai e pediu que ele poupasse a vida de Gregor".

Daí para frente, a mãe e a irmã lhe dedicam só o cuidado indispensável, embora, agora, chorem pelo seu destino.

Para complicar mais a situação de Gregor, sua família passou a vê-lo como um estorvo para seus planos de mudança para uma moradia menor, onde teriam menos gastos materiais. Grete, já farta, conseguiu um trabalho remunerado e os cuidados para com Gregor passaram para as mãos da velha faxineira que a substituiu. Esta não conseguia esperar a hora para lhe atirar uma cadeira nas costas, tanto desejava o seu fim. Tentando melhorar a situação financeira da família, uma parte do apartamento foi alugada para três senhores. O movimento na casa aumentou e diminuiu o espaço físico, dificultando a existência de Gregor.

Um dia, algo diferente aconteceu. Grete resolveu tocar seu violino. Juntaram-se todos na sala. Gregor foi atraído pela música.

Relata Kafka: "Atraído pela música, arriscou-se a se mover um pouco para frente, ficando com a cabeça dentro da sala.

Para falar a verdade, ninguém o percebeu. Com o rosto inclinado para um lado, seu olhar triste e concentrado acompanhava as notas da música. Seria, realmente, um animal, e mesmo assim, a música exercia um tal efeito sobre ele? Tinha a impressão de que um caminho se abrira à sua frente, levando-o até aquele alimento pelo qual tanto almejava. Observou que os outros não apreciavam Grete tocar. Pensou em chamá-la para seu quarto para ficar só com ele e ser devidamente aplaudida. Pela primeira vez sentiu que sua figura assustadora poderia tornar-se útil".

Isso está de acordo com o trabalho de Tustin (1980) sobre o autismo patológico. Neste, relata sua experiência com aquilo que denominou de "objetos autistas", utilizados pelo bebê e pelo adulto para lhes proporcionar uma experiência sensória apaziguadora. A boa música pode ser considerada um objeto autista como o encontro das bochechas do bebê com a mama da mãe ou um banho com água em temperatura amena.

Como diz Kafka, Gregor sentiu-se alimentado. Eu diria apaziguado. Somos remetidos de volta a Condillat na sua afirmação de que "a sensação não é uma presença inerte". Essa foi uma pausa para o seu sofrimento.

A situação de Gregor voltou a piorar quando um dos inquilinos, ao avistar sua figura horrível, disse:

"Devo comunicar-lhes que, devido às condições desagradáveis que prevalecem nesta casa e nesta família - e cuspiu no chão para enfatizar sua declaração lacônica - retirar-nos-emos imediatamente".

Gregor sentiu, neste momento, o abalo final.

Escreve Kafka: "Receava, com um certo grau de certeza, que a qualquer momento aquela tensão geral desabasse sobre ele num ataque combinado".

Esse veio de Grete, sua irmã que mais o compreendera e ajudara.

Essa diz: "Meus queridos pais - disse a irmã batendo com a mão na mesa, à guisa de introdução -, as coisas não podem continuar desta forma. Talvez vocês não compreendam isto, mas eu, sim. Não pronunciarei o nome de meu irmão na presença deste animal, e tudo o que tenho a dizer é: temos de livrar-nos dele. Tentamos cuidar disso esforçando-nos por tolerá-lo o mais humanamente possível, e julgo que ninguém pode fazer-nos a mínima censura".

Diz o pai de Gregor: "Ela está mais do que certa, murmurou o pai de Gregor. A mãe, que ainda estava sufocada sem poder respirar, começou a tossir, cavernosamente, por entre as mãos, tampando a boca com um olhar transtornado".

Diz a irmã: "O senhor, simplesmente, tem de abdicar da ideia de que aquilo é Gregor. Como pode aquilo ser ele? Se fosse, há muito que teria compreendido que os seres humanos não podem viver com um animal desta espécie, e teria partido de livre e espontânea vontade. Então, não teríamos nenhum irmão, mas seríamos capazes de continuar a viver respeitando sua lembrança. Mas assim como é, este animal persegue-nos, enxota nossos inquilinos, e é evidente que deseja todo o apartamento para ele e permitiria até mesmo que fôssemos dormir na sarjeta".

Fica claro que agora só o ódio une esta família a Gregor. Já o qualificam como malvado intencionalmente interessado em trazer-lhes a desgraça. De perseguido passa a perseguidor, e vai precisar viver como foragido até quando? Tem suas forças físicas minadas. Dará conta?

Narra Kafka: "Logo, Gregor descobriu que não podia absolutamente se mexer. Não se admirou com esse fato, pareceu-lhe antes pouco natural que até agora tivesse conseguido se movimentar com aquelas perninhas finas. No restante, sentia-se relativamente confortável. Na realidade, tinha dores no corpo todo. A maçã estava apodrecida nas suas costas e a região inflamada em volta, inteiramente coberta por uma poeira mole, quase não o incomodava".

Kafka conclui o conto com o fim inevitável. Gregor se mata.

Conta-nos Kafka: "A decisão relativa ao seu desaparecimento, ele já a havia tomado muito mais energicamente que a irmã, se isto fosse possível. Os primeiros clarões estendendo-se sobre o mundo que ficava do outro lado da janela invadiram uma vez mais suas faculdades de percepção. E, então de livre e espontânea vontade, afundou a cabeça no chão e de suas narinas exalou-se um último suspiro débil e trêmulo".

Esta a triste história de Gregor Samsa, com um final não menos triste.

Considerações finais

A história de Gregor é sofrida. Seus leitores torcem pelo fim de sua metamorfose, que não acontece. Seu pai e sua mãe também o desejavam. Não para o filho, mas para que ele continuasse mantendo o *status quo* de sua família.

A ordem crescente de indisposição e de ódio gerando ódio conduziu a uma situação irreversível e à definição, pelo próprio Gregor, de morrer. Isso não é diferente daquilo que ocorre com muitos pacientes em estado de definhamento orgânico e psíquico progressivo que optam pela imobilização e contagiam seus cuidadores. A desconexão é uma enfermidade que tem semelhança com as doenças degenerativas e neoplasias naquilo que se refere à evolução do seu curso clínico.

Cito uma paciente que estava delirando e pedindo para "ir para a sua casa". Seus familiares tinham que contê-la, mantendo fechadas as portas de saída da casa. Sua irmã indagou ao psiquiatra: "Ela vai morrer?" Ele não entendeu essa sua preocupação, porque sua irmã tinha boa saúde física, apesar do quadro psicótico. Entendo que a irmã antecipava sua morte caso sua irmã tendesse para o retraimento.

Este sempre significou para ela o mesmo que morrer. Por esse motivo teve poucos períodos de férias ao longo de sua vida profissional. Necessitava do trabalho para se manter estimulada e não se entregar aos seus movimentos autistas. É normal isso acontecer a todo ser vivo. É um empenho da vida para mantê-la, usando meios variados. Corresponde ao dito popular de que "o homem não pode parar".

No entanto, esse exercitar é patológico quando se torna um imperativo, exercido de modo contínuo ou mantido por meio prejudicial para a saúde como o excesso de ginástica, corridas, trabalho intelectual e físico. Seu delírio de "ir para sua casa" pode ser entendido como o desejo de voltar a ser ativa como sempre fora. Ao longo do tratamento, apresentou um quadro de contratura muscular que a obrigava a andar com o corpo vergado ora para frente, ora para trás, ora para a direita ou ora para a esquerda. Essa paciente estava em busca de um ponto de equilíbrio psíquico com estas posturas alternadas. Lutava, desesperadamente, para não ficar louca.

Ela já vinha apresentando os sintomas da desconexão, antes do delírio. Apresentou desfalecimentos, leves tremores nas mãos, um quadro de tristeza aparente e um apego desmesurado ao dinheiro sem uma adequada noção do valor do mesmo. Esses sintomas foram investigados por vários médicos sem chegarem a uma conclusão diagnóstica. Em resumo, era portadora da Síndrome de Desconexão.

Gregor, o personagem kafkiano, também era portador dessa patologia. Provavelmente, Kafka manteve-se vivo, matando o personagem em sua catarse literária.

Indo além da imaginação, é possível pensar que Kafka com suas descontinuidades de vida precisou fazer-se como um homem de muitas pernas e uma couraça dura, para fazer frente aos golpes da vida. Talvez o homem atual, enfrentando toda sorte de violência a ameaçar-lhe a sobrevivência, tenha de se desdobrar para não definhar como Gregor Samsa.

A Psicanálise e a Psiquiatria têm-se valido da literatura, desde Freud e seus antecessores, para tentar aprofundar conhecimentos da psicopatologia. Kafka insere-se nessa plêiade de escritores como autor do inverossímil, do inacreditável, da ficção fantasmagórica e do absurdo. Kafka, ao contrário do que muitos pensavam e continuam pensando, escreveu e descreveu, por meio de uma gigantesca metáfora, a alma desertificada pela desconexão.

A metamorfose é uma obra literária que se destaca por seu foco no mais angustiante dilema do homem e da mulher diante da violência contemporânea, seja de ordem política, econômica ou religiosa: o como continuar sendo.

Nos anos que precederam a primeira Guerra Mundial (1914-1918), a situação era caótica. Uma pesquisa histórica, incluindo avaliação meticulosa do contexto da época, certamente ofereceria dados sociológicos preciosos para os trabalhos de Kafka e sobre ele mesmo.

Gregor jamais poderia ser tratado apenas por meio da prescrição e uso de antidepressivos. Sem uma atuação médica em seu ambiente familiar e em sua realidade psíquica, pouco ou quase nada se poderia esperar de um tratamento exclusivamente psicofarmacológico.

Samsa Gregor, um paciente com desconexão, requer cuidados pessoais propiciados por "uma dama envolta em peles" que, conhecendo sua etiopatogenia, lhe proporcione segurança para acreditar que sair da desconexão é melhor que se entregar à imobilidade física e psíquica.

Espero haver demonstrado a existência da Síndrome de Desconexão ocultada pelos dogmas e estigmas das teorias psicanalíticas e psiquiátricas.

Para terminar, manifesto satisfação de ter esboçado uma análise interpretativa com base científica para essa obra de Kafka, alvo de inúmeras abordagens psicológicas e sociológicas, todas insuficientes para esse fim.

Kafka antecedeu-nos literariamente na descrição da Síndrome de Desconexão, assim como Sófocles o havia feito na descrição do Complexo de Édipo.

Capítulo VIII

Psicanálise hoje: o trauma, a Desconexão e o Transtorno de estresse pós-traumático (2005a) *

A comunidade científica tem manifestado a necessidade de a Psicanálise promover desenvolvimento no seu referencial teórico e técnico para inserir-se como ciência natural, cujos princípios são a pesquisa, a experimentação e a comprovação. Podemos dar-lhe mais cientificidade pela aproximação com a Biologia, a Psiquiatria, a Neurobiologia e a Psicologia Experimental, segundo meus estudos e prática clínica.

Kandel (2003), já citado em trabalhos anteriores, escreveu: "Durante a primeira metade do século XX, a Psicanálise revolucionou nossa compreensão da vida mental. Em contraste com esses avanços, as conquistas da Psicanálise, durante a segunda me-

---

* Trabalho publicado na *Revista da Sociedade Brasileira de Psicanálise do Rio de Janeiro.* 2005. 4 (1,2): 105-134.

Nota explicativa

Este trabalho mostra minha evolução sobre o estudo do trauma e a desconexão. Por meio deles, pude entender mais a etiopatogenia de Transtorno de estresse pós-traumático (TEPT). Tornou-se claro que esse conceito tinha como substrato anatômico a desconexão biológica entre estruturas do sistema nervoso autônomo (a amígdala cerebral) e do sistema nervoso central (o lobo pré-frontal do córtex cerebral). Em decorrência do trauma, as respostas da vítima ficam instintivamente ditadas pelos registros existentes na amígdala cerebral, responsável desde o início da vida pelo armazenamento do aprendizado dos recursos biológicos inatos voltados para manter a sobrevivência.

Alicerçou-se, ainda, a postulação de Scaer de que, para um trauma se tornar patogênico, é necessário um trauma anterior como predisposição. Ele só não mencionou que precisaria vir acompanhado por uma noção de morte e que poderia ocorrer ainda no período fetal.

Eu já intuíra que o recurso biológico reflexo para manter a sobrevivência constituía no retorno do Ser ao estado autista do início do desenvolvimento, intuição que foi sendo fundamentada e tornou-se importante nos meus estudos.

tade do século, foram menos impressionantes, com a possível exceção de alguns avanços na área do desenvolvimento infantil. Este declínio é lamentável, já que ela continua a representar a visão mais coerente e intelectualmente satisfatória da mente humana".

Meus estudos anteriores (Salim, 2003, 2004, 2005a), enfocando o trauma com suas repercussões neuropsicológicas, me permitiram passos no sentido dessa integração.

Em 2005, a Associação Internacional de Psicanálise promoveu como tema central o estudo do trauma.

Uma olhada nos trabalhos apresentados mostra, no entanto, que os psicanalistas continuam a enfocá-lo como Freud (1919) o conceituou, sem citar o trauma biológico ou psíquico associado a uma noção de morte por parte de sua vítima, responsável por uma neuropsicopatologia diferente daquela descrita por ele em relação às neuroses de defesa.

Estou convencido, pela minha observação e trabalho clínico, que esse trauma tem várias e importantes manifestações psíquicas e orgânicas. Gera uma clínica atípica, mergulhada em profundas mudanças culturais e econômicas.

Entendo que esse conceito pode ser válido para auxiliar na compreensão da etiologia do Transtorno de estresse pós-traumático (TEPT), não valorizado por psiquiatras e psicanalistas, embora prevalente na clínica atual, conforme minha observação clínica.

Esse transtorno pode ser considerado grave, e tem alta incidência na clínica atual, diante da escalada mundial da violência, desde a primeira e a segunda Guerra Mundial. O homem está cada vez mais sujeito ao trauma, seja como vítima, seja como testemunha da luta pela sobrevivência, cada vez mais difícil. Seu empenho se volta de forma crescente para se manter vivo. A sexualidade tornou-se mais uma colagem para auxiliá-lo na manutenção da consciência do sentimento da continuidade de vida, diferente do proposto por Freud: a busca da satisfação dos instintos sexuais.

Quinze por cento das vítimas de trauma físico ou psíquico, independentemente do sexo ou da idade, desenvolvem a síndrome do TEPT.

O TEPT

O portador desse transtorno apresenta sintomas de natureza psíquica e orgânica.

Psíquica: sentimento de vazio indefinido, tristeza vazia ou fria, ausência de si próprio, amnésia, desatenção e outros.

Orgânica: hipoatividade, sonolência, fadiga, cansaço, falta de vida, desfalecimento, lentidão motora e autônoma, medo, mialgias, sensibilidade aumentada para os estímulos sensoriais e outros.

Pode apresentar, também, dependendo do contexto e do aprendizado anterior, sintomas de hiperatividade física e psíquica, insônia, irritabilidade, impaciência, taquipsiquismo, orgia alimentar, ejaculação precoce, aplicação excessiva à ginástica, às corridas diárias, à intelectualização e outros.

A opção por esses dois estados vai depender do acervo existente na memória procedural (Kandel, 2003), além da cognição que informa a gravidade do perigo, a possibilidade de luta ou fuga.

Os dois estados podem existir no mesmo paciente, de forma articulada dialeticamente. Esse fato pode levar o paciente a ser diagnosticado como portador de Transtorno do humor bipolar.

Esse paciente é denominado de paciente de difícil manejo clínico ou de *borderline*, uma denominação indefinida.

Em geral apresenta comorbidades, como distúrbios alimentares (anorexia nervosa e bulimia), perversões sexuais (homossexualismo, travestismo, exibicionismo), transtornos obsessivos, transtornos fóbicos, transtornos do pânico e transtornos psicossomáticos (cefaleia, amenorreia, impotência e outros).

Os desvios sexuais, de acordo com meu entendimento atual, são arranjos para o indivíduo tentar diminuir seu medo de morrer ou de ficar louco. Isto é, a atividade sexual compulsiva ou pervertida passa a constituir um remendo (Salim, 2002) para tentar fechar a ferida produzida pelo trauma, assim como o uso excessivo da intelectualização ou os exercícios para hipertrofiar a musculatura estriada. Assim, podem ser interpretadas as perversões sexuais, a masturbação excessiva, a frigidez, a impotência e outros. A observação de animais em ambientes fechados, onde a sobrevivência é comumente ameaçada, revela o aparecimento de vários transtornos sexuais. O mesmo acontece com os presos. O mais frequente é a homossexualidade, também presente em experimentos com animais em ambientes especiais.

É habitual esse paciente ser atendido por uma equipe com psiquiatra, clínico, psicólogo ou outro especialista, devido à diversidade e, às vezes, à gravidade do quadro clínico.

Podemos imaginá-lo como um náufrago num mar. Sente ameaçado de morte e utiliza os recursos à disposição para se salvar. Tem uma tendência para a ação que o leva a bater os braços, às vezes impropriamente, e outra para a imobilidade, que o leva a ficar parado, boiando. Em busca do salvamento, pode optar por uma ou por outra tendência, de acordo com sua avaliação intuitiva e experiências anteriores, presididas inicialmente pelo sistema nervoso autônomo e, depois, por suas funções cognitivas.

Neste trabalho, destaco a angústia de morte como a primeira do ser humano. Está relacionada à origem animal do indivíduo e gera uma psicopatologia definida, diferente da gerada pela angústia relativa aos conflitos sexuais, esquizoparanoides ou depressivos.

Freud (1920) diferenciou a ansiedade realística das neuroses atuais da ansiedade neurótica das neuroses de defesa. Mostrou-se insatisfeito, quando se referiu à raiz da neurose de um modo geral. Escreveu ele, em 1926: "Após dez anos de labor psicanalítico, continuamos exatamente no escuro quanto a esse problema, como estávamos no início".

Penso que continuamos na mesma escuridão. Freud não acrescentou mudança significativa na psicopatologia psicanalítica, após seus estudos das neuroses atuais ou traumáticas, nem seus seguidores. Mais atualmente, alguns advogam mudança da técnica para esses pacientes reunidos sob o nome de clínica do vazio ou do desvalimento, mas sem uma fundamentação teórica para reger mudanças. Assim, casos clínicos de neurose traumática são tratados por uma mesma técnica das neuroses de defesa, tornando esses tratamentos iatrogênicos.

Sobre a fisiopatológica do TEPT

Cada vez mais se estuda os sintomas do TEPT em crianças, jovens e adultos. Aumenta a descrição dos mesmos e a tentativa de novas classificações. Contudo, não existem estudos sistematizados sobre sua etiopatogenia e fisiopatologia, isto é, sua causa e como se forma sua neuropsicopatologia. A abordagem fisiopatológica do TEPT, mediante a Psiquiatria, a Neurobiologia, a Genética, a Psicologia Experimental e outras, apresentam-se na literatura isolada, vaga e superficial. Este fato colide com meu conhecimento atual, que aponta para a necessidade de interdisciplinaridade.

Na minha observação, esta é tão difícil entre essas ciências, assim como com a Psicanálise.

Considero que a fisiopatologia do TEPT, segundo meus estudos interdisciplinares, tem como elementos centrais o trauma e a desconexão, como descrevi (Salim, 2003).

Em trabalhos anteriores (2001a, 2001b, 2002 e 2004), descrevi a resposta de imobilidade ou de estimulação no indivíduo vítima de trauma, representadas por sintomas tanto psíquicos como orgânicos.

Destaco o trabalho de Ogden (1996) *O isolamento pessoal: o colapso da subjetividade e da intersubjetividade,* como central para o entendimento da fisiopatologia do TEPT, embora desenvolvido por psicanalista.

Repito aqui: "O isolamento de tipo autista-contíguo implica, em algum grau, o ato da substituição da mãe como ambiente por um ambiente sensorial autogerado". Continua: "Estou propondo que, desde os primórdios da vida psicológica (e ao longo de toda a vida), existe uma forma de experiência na qual a mãe, na condição de matriz psicológica, é substituída por uma matriz de sensação autônoma. Ao substituir a mãe ambiental por esta matriz, o bebê cria uma pausa essencial na atenção (e no terror intermitente) inerente ao processo do vir à luz no âmbito dos seres vivos". Prossegue: "A suspensão das incertezas e da imprevisibilidade da existência no âmbito do humano é alcançada por meio de uma mudança no equilíbrio das formas de Ser coexistente. O ambiente humano vivo é substituído por relações com experiências sensoriais totalmente confiáveis de tipo autista-contíguo. Tais relações autistas-contíguas são maquinais na sua precisão e podem ser pensadas como uma substituição do mundo humano por um não humano (ver Searles, 1960). O tipo de isolamento que tenho em mente não é uma forma de morte psicológica. O que estou tentando descrever é uma suspensão da vida no mundo dos vivos e a substituição deste mundo por um mundo autônomo de relações com sensações perfeitas. Deixar o bebê nesta forma de isolamento e resgatá-lo de modo compassado e periódico é uma parte essencial da qualidade rítmica precoce do desenvolvimento humano".

Ogden ilustra essas afirmações com uma vinheta clínica. "Uma analisanda que, recentemente, deu à luz um bebê saudável, vivenciava um estado de pânico, quando seu filho dormia, temendo que estivesse morto. Nós, como analistas, estamos familiarizados com tais angústias e tendemos a compreendê-las em termos de desejos assassinos inconscientes e universais, assim como em termos da projeção da própria sensação de morte interna da mãe. Parece-me que tais compreensões devem ser suplementadas com a apreciação de um componente adicional da relação precoce mãe-bebê. Considero, hoje em dia, que tais angústias refletem a resposta da mãe à sua experiência real de que, de vez em quando, ela perde seu bebê e, de que, a cada vez, ela o recupera. Ou seja, a mãe de fato vivenciou a perda de seu bebê no decorrer do isolamento periódico deste na sua própria matriz sensorial, e fica aterrorizada de que essa experiência 'próxima da morte' se repita (desta vez, irreversivelmente)".

Essa outra forma de entender a angústia da mãe, diferente do referencial kleiniano, foi fundamental para o meu desenvolvimento.

Compreendi que, para o bebê, é autoapaziguador o sentimento de continuar existindo, garantido pela percepção da sensação-experiência dos processos vitais do tipo autista-contíguo, que têm um ritmo regular. O bebê tende a ficar nesse recolhimento, isolado das realidades externa e interna. Diferencia-se da regressão, como descrita habitualmente, porque o recolhimento é direcionado a um período do desenvolvimento psíquico, quando ainda não há um sujeito interpretante e não envolve o conceito de libido. O importante é a sensação sensória em si mesma. Nesse período, existe o que Ogden (1996) denominou de "o caos da subjetividade e da intersubjetividade devido à ausência de um sujeito interpretante".

Associando o conceito de trauma, segundo o DSM-IV(1994) - "um evento traumático é definido quando a pessoa experimenta ou é testemunha ou é confrontada com um evento ou eventos que envolvem ameaça de morte ou séria injúria" - a essa postulação de Ogden, acreditei estar dando um passo na aproximação da Psicanálise com a Neurobiologia.

Trauma é uma palavra grega que significa ferida. Conceituei-o como uma ruptura ou ameaça de ruptura de uma superfície sensória, geralmente a pele, por um objeto contundente, caso gere uma consciência instintiva de medo de morte.

Sua intensidade pode parecer aumentada na realidade psíquica da vítima, isto é, embora o trauma não tenha uma dimensão objetiva de morte iminente, nem por isso deixa de ser patogênico, e constitui um elemento central no desenvolvimento dos sintomas do TEPT, como demonstrou Scaer (2001).

Esse autor mostrou que um trauma só se torna patogênico, independente da idade e da gravidade, se houver uma predisposição dada por um trauma anterior.

Ele deixou em aberto a idade do indivíduo por época do primeiro trauma.

Prosseguindo com meus estudos, deparei com as experiências de Harlow (1958) com macacos e de Levine (1962) com ratos. Segundo Harlow, quando macacos recém-nascidos são isolados do convívio de outros macacos por um período de seis meses logo após o nascimento, quando colocados de volta a esse convívio, desenvolvem sintomas de isolamento e de imobilidade. O mesmo não acontece com os macacos que são isolados depois de dez dias do nascimento. O mesmo fato Levine observou com ratos recém-nascidos.

Essas experiências demonstram a existência de respostas neurobiológicas se esse trauma é perinatal, que o tornam irreversível, diferente daquele ocorrido depois de dez dias do nascimento.

Essas experiências demonstram a existência de uma matriz psíquica diferenciada, geradora de fenômenos psíquicos específicos nesse período inicial, diferente da matriz esquizo-paranoide e da matriz depressiva, como postulou Ogden (1989b) ao descrever a posição autista-contígua.

A validação de uma psicopatologia decorrente de trauma biológico ou psíquico com noção de morte no período fetal até o perinatal, com sintomas físicos e psíquicos idiossincráticos, requer uma abertura do psicanalista para admiti-lo, o que nem sempre é fácil, porque não estamos habituados em pensar na angústia de morte e nas respostas orgânicas reflexas e inatas à mesma.

Hipótese

Minha hipótese para explicar a fisiopatologia do TEPT baseia-se no que se segue: no início da existência do Ser há uma consciência instintiva de como é e de onde está, dada por experiências sensoriais, cujas presenças não são inertes, isso é, marcam presença. Essas têm o ritmo do maquinismo dos movimentos vitais, ditados pela filogênese.

Na medida em que o feto se desenvolve, continua a utilizar essas sensações sensórias, como podemos detectar pela ultrassonografia. Esta mostra que ele leva as mãos ao órgão genital ou as orelhas, em movimentos rítmicos. Essas experiências-sensação são armazenadas pelo Ser. Esse registro preserva a consciência instintiva do sentimento de continuar existindo física e psiquicamente, dando ao indivíduo um sentimento de coesão e autoapaziguamento.

Essas experiências sensoriais, ligadas aos órgãos dos sentidos, mais comumente a pele (tato), formam uma matriz psicobiológica, localizada no sistema nervoso autônomo (amígdala cerebral), capaz de gerar sinais e sintomas físicos e psíquicos de hipoestimulação ou hiperestimulação, quando relacionados a uma vivência de descontinuidade, de não existência. São reflexos condicionados, como nos animais, e devem ser considerados como concomitantes fisiológicos.

Essa matriz é estruturada em um período do desenvolvimento durante o qual não se pode falar ainda na existência de um ego ou sujeito interpretante, portanto, no período fetal ou perinatal.

No homem, o neocórtex ou sistema nervoso central é importante para a elaboração dessas experiências posteriormente, conforme estudos atuais sobre a atividade onírica, segundo Sidarta (2003). Esse autor, um neurocientista, considera os sonhos produto do estado de vigília constante, a exemplo de um sistema antivírus de um computador, com a finalidade de fortalecer a memória procedural, garantindo ao seu portador respostas imediatas e eficientes diante do trauma, nesse jogo de vida e de morte, de lucidez e de loucura, que data do início do desenvolvimento ontogenético e filogenético.

O trauma é o elemento central. Seu portador carrega suas marcas, seus registros físicos e psíquicos ao longo da vida e tendências para a imobilidade (tendência para os movimentos autistas) ou a hiperestimulação. Em nossa memória procedural, segundo (Kandel, 2003), aquilo que ficou registrado uma vez jamais desaparecerá, nunca será apagado e poderá ser evocado em qualquer época do desenvolvimento psíquico, desde os primórdios da vida intrauterina.

Selye (1936) foi o precursor científico do estudo sobre o estresse e usou essa palavra para significar o "desgaste por uso prolongado da Síndrome de Adaptação Geral que inclui a reação de alarme, a fase de resistência e a fase de exaustão". Estresse, portanto, inclui a ideia de um trauma. Este conduz a uma alteração do ritmo fisiológico, produzindo um sentimento de descontinuidade com desgaste e tensão.

Embora apresente uma explicação incompleta da fisiopatologia do TEPT, considero procedente utilizar esses desenvolvimentos pessoais nesse entendimento inicial.

Material clínico

Sessão inicial

M. chega para a sessão com as vestes e os cabelos em desalinho, o que me causa a impressão de desorganização pessoal. Apresenta expressão de desânimo, andando a passos lentos. Ela se assenta e diz estar sem esperanças de melhoras, a despeito de muitos tratamentos, para voltar a ser o que era. Só veio porque foi indicada por uma amiga, ex-paciente minha, que lhe dera boas referências sobre mim.

Relata insônia grave, entorpecimento para pensar, falta de concentração, memória fraca, tristeza indefinida, cansaço, estranhamento de si mesma; percebe-se desconectada e alheia ao que passa ao seu redor e no seu corpo; diz ter medo de sair à rua, perda de apetite, perda do interesse por distração, por leitura e por festas; diz sentir dores musculares (mialgias) e conta da impossibilidade de tratamento dentário por intolerância ao motor usado pelo dentista. Acha-se diferente do que era: ativa e participante.

M. fala que, há oito meses, fora submetida à retirada do rim direito, após diagnóstico inesperado de câncer. Passou relativamente bem durante seis meses, quando aconteceram três desmaios sem causa aparente. Fez inúmeros exames sem que os médicos chegassem ao diagnóstico. A partir daí, começaram a aparecer os sintomas citados, que a deixaram incapacitada para voltar ao trabalho. Por esse motivo, sente-se inútil, desvalorizada, fraca e incomodada diante de todos. Não consegue deixar de pensar que é portadora de câncer. Fez uso de vários antidepressivos e sedativos, sem obter melhoras.

Enquanto ela fala, começo a sentir-me incomodado na cadeira e com inclinação para o sono. Vou ficando tomado da desesperança, da inutilidade e da insuficiência da paciente. Ao perceber esse movimento autista, revitalizo-me e me dou conta de que está sendo gerado um terceiro sujeito analítico, segundo Ogden (1996), no caso, o sujeito insuficiente. Essa consciência ajuda-me a me sentir mais ativo.

Entendo, então, que essa paciente apresenta TEPT e que as queixas são concomitantes fisiológicos ao trauma sofrido: o diagnóstico do câncer e a nefrectomia. Nesse momento, compete-me apaziguá-la, transmitir-lhe alguma esperança, ser um meio através do qual poderei ajudá-la a retomar seus processos vitais.

Disse-lhe que compreendia seu incômodo, o estado de desamparo e que tinha esperanças de poder ajudá-la.

Ela mesma relacionou suas queixas à cirurgia do rim e ao diagnóstico de câncer, e afirmou que era comum a pessoa ter tais sintomas e sentimentos depois de um trauma.

Conscientizei-a de que precisaria ter tolerância consigo mesma, assim como eu seria paciente com ela. Disse-lhe, ainda, que ela teria dificuldades em deixar de lado os movimentos de imobilidade que a levam à inércia, mas que a ajudaria a tratar-se. Disse-lhe mais: que entendia seu medo de ir ao dentista, porque no seu estado havia exaltação da sensibilidade ao lado da tendência para a imobilidade.

Sugeri-lhe um tratamento de Psicoterapia com três sessões semanais, mas ela só concordou após duas sessões.

Evolução do tratamento

Após quatro meses de tratamento, M. apresentou melhoras e confiança maior em si mesma. Aceitou com mais tranquilidade a prorrogação da licença trabalhista, afastamento que evitava por temer críticas alheias e aquelas que movia contra si própria. De fato, M. era impiedosa consigo mesma e, provavelmente, estava julgando assim o dentista e a mim. Nesse sentido, sempre que possível, fiz um trabalho interpretativo desse seu aspecto superegoico, para remover as resistências de transferência.

Passou a vir sozinha às sessões, às vezes caminhando de casa para distrair-se com vitrines. O sono já estava praticamente normalizado. Pelas manhãs, passou a fazer caminhada com amigas. Contudo, ainda permanecia vivo o medo do câncer.

As sessões caracterizavam-se pela repetição das queixas em relação a mazelas físicas e psíquicas e pela avaliação por parte de M. quanto à melhora ou a piora das mesmas, mas convencida das melhoras. Mostra-se disposta a continuar o tratamento, embora continue falando pouco de si mesma como pessoa, privando-se a exposição de aspectos de suas intimidade e subjetividade.

Só o faz em uma ou outra sessão, quando mergulha no passado recente. Percebe agora que, antes dos fatos acontecidos, já não estava bem, pois se sentia aflita, com alterações do sono, da clareza do pensamento e do apetite, além de constatar falhas na vida conjugal, sobre a qual mantinha hermetismo quase absoluto.

Nesse período de tratamento, aconteceram duas recaídas. Foram breves, porque nas sessões que se seguiram entendeu a razão das mesmas.

Percebeu que a primeira recaída relacionava-se com as férias de sua empregada. Havia concordado em concedê-las, achando que já estava bem, sem perceber que essa lhe era indispensável: fazia-lhe companhia, ajudando-a, mesmo sem saber, a lidar com os medos, quando os filhos e o marido deixavam a casa para trabalhar.

M. percebeu que a segunda recaída estava relacionada ao falecimento de um vizinho amigo. Após esse fato, foi tomada pelo medo de morrer. Esses *insights* por parte da própria paciente constituíram uma indicação segura de que ela estava saindo da desconexão, o que foi apontado para ela.

A relação pessoal de M. comigo tem sido boa desde a primeira sessão. Acredito que é porque respeitei seus movimentos em direção ao recolhimento (desconexão). Não a apressei. Foi importante também ir ressaltando as melhoras, recomendando-lhe paciência.

Julgo que o trabalho interpretativo das fantasias de morte e de loucura, das autoacusações e das autorreprovações tem favorecido a boa relação de transferência e contratransferência, permitindo um processo evolutivo na direção da retomada das atividades vitais de M.

Comentários adicionais

Trata-se de uma paciente típica de TEPT. M. sentia-se, no início do tratamento, como Samsa Gregor, principal personagem de *A metamorfose*, de Franz Kafka (1915), que acorda, depois de uma noite de sonhos tumultuados, transformado em barata gigante, não mais se reconhecendo. Como Samsa, M. não mais se reconhecia. Não era mais a mesma.

M. pode receber o diagnóstico clínico de paciente de difícil manejo clínico, ou *borderline* ou de transtorno do humor bipolar. De fato, tem sintomatologia diversificada, com predomínio, ora de uma série de sintomas (imobilidade), ora de outra série (excitação). O elemento etiológico nuclear é o trauma e a desconexão.

Nos quatro meses de tratamento, M. não fez menção de traumas anteriores, mas pode-se intuir que esses aconteceram devido à reação aos traumas da notícia do câncer e da cirurgia renal.

Os pacientes portadores de TEPT podem apresentar um tempo de latência entre o trauma e o aparecimento dos sintomas, tal qual aconteceu a M. Os desmaios ocorridos seis meses depois da cirurgia eram reações de desfalecimento muito mais comuns do que se pensa. Acredito que podem representar a busca de imobilidade imediata frente a um terror súbito. São tão inesperados, que resultam em cortes da pele, lesões ósseas e musculares graves.

Outro paciente meu desenvolveu um hematoma subdural, tendo de ser operado após um traumatismo na cabeça, devido a queda súbita. Dois meses depois, apresentou quadro de ansiedade seguido de sintomas psicóticos. No primeiro contato, tive a impressão de tratar-se de esquizofrenia. O paciente reiterava que queria "voltar para sua casa antiga". Esse fato obrigou os parentes a manterem fechadas as portas de casa. Mais tarde, compreendi que o insistente pedido do paciente significava um desejo de voltar a ser como fora, o que facilitou o diagnóstico do TEPT e o tratamento.

Não encontrei explicação para o fato de a sintomatologia aparecer depois de considerável tempo consecutivo ao episódio traumático. Talvez seja difícil fazer o diagnóstico precoce do TEPT. É do conhecimento comum o fato de pacientes tolerarem um estado de trauma e estresse por algum tempo, sem apresentar sintomas evidentes e imediatos, mas, quando o perigo iminente passa, os mesmos sucumbem, podendo vir a desfalecer. Pesquisas posteriores poderão lançar nova luz sobre a questão.

Os sintomas pós-traumáticos devem ser considerados concomitantes fisiológicos e instintivos. Não têm nenhum conteúdo simbólico. Conforme citação anterior, os portadores do TEPT sentem e reagem basicamente a partir de respostas reflexas mediadas por seu sistema nervoso autônomo. O reconhecimento desse fato por parte do psicanalista representa um grande diferencial na prática clínica. Os sintomas não devem ser interpretados como produtos de um conflito psíquico resultante da repressão de conteúdos sexuais ou agressivos. Essa interpretação pode agravar o estado clínico dos pacientes.

O psicanalista, sem esses conhecimentos, diante de um paciente portador de TEPT, pode sentir-se insuficiente, desesperançado, com uma sensação de inutilidade e de autodesvalorização, exatamente como as queixas da paciente do autor. A percepção dos sentimentos contratransferenciais é um elemento essencial para o diagnóstico e para o tratamento do paciente.

Considero M. uma paciente que funcionava de modo autônomo, instintivo e reflexivo, próprio do sistema nervoso autônomo. Por isto, a sensibilidade estava exacerbada. Isso é característico do início do desenvolvimento psíquico, quando não há ainda uma camada protetora. Segundo a teoria das para-excitações de Freud (1920), "o organismo seria aniquilado se não estivesse provido de uma proteção contra os estímulos. Ele adquire esta proteção da seguinte forma: sua superfície mais externa deixa de ter a estrutura própria da matéria viva, torna-se, de certa forma, inorgânica e, daí em diante, funciona como um invólucro especial ou membrana resistente aos estímulos, por meio da sua morte, a camada externa salvou todas as outras, mais profundas, de um destino similar".

O psicanalista deve oferecer-se como uma segunda pele (Bick, 1968, 1986) para seu paciente, desenvolvendo um trabalho semelhante ao *holding* de Winnicott (1962), mas que desse se diferencia, porque na desconexão o predominante é o trabalho sensorial por parte do psicanalista, por meio da fala, do olhar, do tato e, principalmente, por intermédio da regularidade do *setting*, quanto aos horários, e da sua constância em seus propósitos de tratar esse paciente sempre com a mesma atenção e cuidados.

Esse trabalho precisa ser articulado com a interpretação das produções mentais geradas pelas matrizes esquizoparanoide e depressiva, presentes e articuladas em sintonia e de forma dialética com as produções mentais geradas pela matriz autista-contígua.

O portador de TEPT em geral é um paciente com dificuldades para ficar em tratamento. Preserva seu mundo interno como um santuário sagrado, pois está seduzido pela imobilidade, embora lute para deixá-la.

Entendo, atualmente, a necessidade de um tempo prolongado de tratamento, entre outras razões, porque o registro do trauma contém elementos psíquicos e biológicos. Esse registro é denominado pela Neurobiologia moderna de memória implícita ou procedural, que se mantém atuante como o material reprimido do inconsciente da Psicanálise. Para a remoção dos efeitos do trauma, é necessária a finalização do mesmo, a qual passa pelo exercício do ódio contra o agressor. Em futuros trabalhos, hão de ser consideradas as práticas religiosas e místicas, seja a afro-brasileira, ou mesmo as práticas de seitas ocidentais e orientais, cujo objetivo é exorcizar o ódio contra o agressor. Esse processo se dá, às vezes, por meio do espreguiçamento, da dança, do passe ou da superposição de mãos que, acredita-se popularmente, afastam ou retiram supostos encostos ou maus olhados. Nestes passes físicos, pode ocorrer um tremor muscular semelhante ao do animal que arrepia ao deixar o estado de congelamento produzido pela presença do predador. Segundo Levine (1997), se o animal não tem este tremor, fica mais exposto a morrer quando volta à selva. Nesse tremor, haveria uma liberação da energia acumulada a partir do trauma. Poder-se-ia citar que esta teoria assemelha-se à da cura pela catarse na Psicanálise, a qual está baseada na liberação de energias retidas no inconsciente.

Nessa linha de uma organicidade do ego, Winnicott (1962) diz que "outra linguagem pode ser usada para descrever esta parte obscura do processo maturativo, mas os rudimentos de uma elaboração imaginária de exclusivo funcionamento do corpo devem ser pressupostos se se pretende afirmar que este novo ser humano começou a existir e começou a adquirir experiências que podem ser consideradas pessoais". Por elaboração imaginativa, entendo que Winnicott queria expressar a existência de uma forma primária de pensamento, a qual resulta na formação de uma memória incipiente, em processo de contínua formação a partir das sensações corporais.

O psicanalista deve ter em conta estes fatores para não ser iatrogênico, dificultando a sofrida existência desse paciente por cobranças ou referências infundadas relativas à sua insuficiência para a vida afetiva, social e profissional. Essa consciência pode favorecer a adoção, por parte do psicanalista, de uma postura cada vez mais propícia à retomada da consciência do sentimento de coesão física e psíquica e dos processos evolutivos envolvidos.

Conclusão

Constitui um desafio para o psicanalista tentar livrar-se de seus dogmas e abrir-se para novos desenvolvimentos. Assim, postulo nesse trabalho a possibilidade de demonstrar que existe no homem uma sedução surda para os movimentos autistas em busca da imobilidade.

Considero a possibilidade de esses estudos referentes ao trauma, à desconexão e ao TEPT auxiliarem na compreensão da obscura relação entre o psíquico e o orgânico, compreensão essa da qual a Neurobiologia está distante.

Estimo que o psicanalista deva ser um profissional inserido na contemporaneidade, tempo em que as ciências físicas exigem evidências clínicas testáveis e comprováveis, e em que, no mundo, formas de violência são cada vez mais destrutivas. A partir dessa constatação, verifica-se crescente movimento, tanto interno quanto externo, por parte dos indivíduos, rumo à imobilidade e às formas de evitá-la.

Recomendo, assim, a necessidade de o psicanalista investir-se de humildade e ousadia para não ficar preso ao congelamento e à estagnação dos referenciais dogmáticos da Psicanálise clássica, os quais fazem queimar preciosas horas de luz na longa jornada que adentra a noite escura.

Capítulo IX

Trauma, psicose e Transtorno de estresse pós-traumático (2005b) *

O paciente considerado atípico é, também, denominado de paciente de difícil manejo clínico ou paciente *borderline*. São designações imprecisas, indefinidas e sem uma conceituação científica definida. Isso ocorre porque esse paciente apresenta uma sintomatologia diversa e antagônica, por vezes, acompanhada de sintomas psicóticos, quando então podem receber o diagnóstico de Esquizofrenia (EF) ou de Transtorno do humor bipolar (THB), tidas como psicoses não orgânicas.

Para complicar, estudos desenvolvidos a partir de 1980 sobre o transtorno de estresse pós-traumático (TEPT) vêm mostrando a existência nessa entidade clínica de sintomatologia, que pode vir acompanhada de sintomas psicóticos. Este fato tem entendimento difícil e constitui desafio pela presença mais frequen-

---

* Trabalho publicado na *Revista da Sociedade Brasileira de Psicanálise de Porto Alegre*. 2005. 7 (2): 595-624.

Nota explicativa

Mais consciente da importância dos estudos sobre o TEPT, a desconexão psíquica e biológica e, agora, o estresse após um trauma com vivência de morte, ocorreu-me o atendimento de um paciente atípico com sintomas psicóticos. Depois de atendê-lo de forma convencional psiquiátrica e psicanalítica, concluí, depois de algum tempo, tratar-se de um paciente com TEPT.

Em várias passagens retorno ao conceito de desconexão e aos entendimentos sobre do trauma, agora mais bem definidos e compreendidos. Na medida que atendia o paciente, sentia que havia um aprofundamento da compreensão dos mesmos. Pesquisar é um trabalho incessante e cativante.

Este trabalho tem o objetivo de mostrar que existem sintomas psicóticos relacionados ao TEPT, e explicar as psicoses clássicas segundo meus estudos. Na verdade, acho difícil diferenciar onde começa um e termina a outra, mesmo porque pouco se sabe sobre a etiopatogênia da Esquizofrenia e do Transtorno do humor bipolar, como será mostrado.

te desse paciente na clínica psicanalítica atual, embora pouco diagnosticada.

Esse paciente apresenta resposta terapêutica pouco satisfatória do ponto de vista psicológico e farmacológico, devido ao desconhecimento da etiologia de suas manifestações indefinidas pelos psiquiatras e psicanalistas. As ciências afins procuram por um marcador biológico, seja um substrato químico, uma área específica do cérebro ou uma alteração genética para estabelecer de modo mais científico a etiologia, o diagnóstico e o tratamento do mesmo. São estudos isolados, sem uma interdisciplinaridade, que compõem uma colcha de retalhos. Mesmo entre as psicoses, tem sido destacada a dificuldade para fazer o diagnóstico diferencial entre elas.

Shirakawa (2004) cita o trabalho feito por Cooper, em 1970, nesse sentido. O autor "compara protocolos de diagnósticos de Esquizofrenia nos Estados Unidos e na Inglaterra. Verifica que nos Estados Unidos havia uma tendência maior em descrever a Esquizofrenia e, na Inglaterra, o Transtorno do humor bipolar. Então, comparando os protocolos de pacientes diagnosticados em Londres e Nova York, Cooper troca os protocolos e verifica que aqueles que, em Londres, eram diagnosticados como maníaco-depressivos, quando vistos pelos psiquiatras americanos transformavam-se em pacientes esquizofrênicos, e vice-versa". Shirakawa complementa: "Este trabalho de Cooper levou a comunidade psiquiátrica a rever os diagnósticos existentes em Psiquiatria, isto é, que haveria necessidade de uma linguagem internacional e que houvesse um consenso a respeito do diagnóstico". Conclui que essas dificuldades de diagnóstico passam "pela dificuldade de encontrar um marcador biológico que identifique o transtorno como tal".

Outros autores têm destacado essa mesma dificuldade diagnóstica. Daker (2004) escreve: "Não há qualquer dado consistente que nos leve a definir os limites precisos da esquizofrenia, por exemplo, com os limites dos transtornos de humor, haja vista os transtornos esquizoafetivos (Daker, 2001), bem como os limites de depressão na esquizofrenia (Alvarenga H, Teixeira Júnior AL, 2002)".

Segundo Martins et al. (2004), "é possível que existam várias formas intermediárias de psicose com sintomas de humor ou que os dois diagnósticos clássicos de Esquizofrenia e Transtorno de humor bipolar representem um espectro da mesma doença, ou um tipo de expressão fenotípica incompleta de uma única doença, sem necessariamente implicar em resposta a tratamentos diferentes. Hoje, por exemplo, a importância do uso precoce e continuado de antipsicóticos é reforçada, independentemente do tipo de diagnóstico categórico da psicose (Esquizofrenia ou Transtorno do humor bipolar com sintomas psicóticos)".

Essa imprecisão diagnóstica referente às psicoses agrava-se, a meu ver, quando se considera o TEPT, que pode apresentar sintomas psicóticos (Figueira, 2003).

Segundo Berlim et al. (2003), "uma vez diagnosticado o Transtorno de estresse pós-traumático (TEPT), há necessidade de serem examinadas as comorbidades, já que ao menos um transtorno psiquiátrico foi encontrado em aproximadamente 80% dos indivíduos com TEPT... A prevalência ao longo da vida para transtornos comórbidos com o TEPT foi de aproximadamente 48% para a Depressão Maior".

Este trabalho é produto do tratamento de um paciente, e de meu empenho em estudar essa complexa inter-relação mediante uma articulação da Psicanálise, com a Psiquiatria, a Neurobiologia e a Psicologia Experimental. Venho priorizando o estudo do trauma e estendendo-o ao TEPT, às psicoses e ao paciente atípico. A partir desses estudos, formulei o Conceito de Desconexão, que se tem mostrado útil na minha prática clínica para entender esse paciente de muitas faces.

Sugiro e comento a hipótese, segundo a qual a variada e antagônica sintomatologia desse paciente tem sua etiologia relacionada ao trauma vivido com noção de morte, a desconexão psíquica e biológica e ao estresse resultante.

O TEPT

O quadro clínico do TEPT foi descrito inicialmente por Freud com o nome de neuroses traumáticas e, atualmente, encontra-se definido no DSM-IV (1994) de forma mais precisa. Segundo este, o TEPT tem três dimensões de sintomas:

a - o reexperimentar o evento traumático sob a forma de imagens e memórias intrusivas (*flash-backs*) ou de sonhos repetitivos;

b - a evitação dos estímulos que podem conduzir a lembrança do trauma;

c - a presença contínua de sintomas de hiperestimulação autonômica.

Essa sintomatologia pode estar associada a sintomas depressivos, maníacos, fóbicos, psicossomáticos e psicóticos.

Como mostrarei adiante, seguindo as contribuições de Tustin (1972, 1990), proponho com meus estudos que essa sintomatologia tem uma característica autista e deriva de uma matriz psíquica inicial, que tem semelhanças com a posição autista-contígua de Ogden (1989b).

Associa-se a outra derivada de matrizes psíquicas posteriores, com predomínio dos sentimentos de culpa e de inferioridade, decorrente das cobranças que esse paciente e seus acompanhantes fazem pela insuficiência e incapacidade que apresentam para os atos da vida social, profissional, familiar e sexual.

Recentemente, escrevi dois trabalhos (Salim, 2004, 2005a) baseados em minha experiência clínica como psicanalista clínico, supervisor e psiquiatra. Recebo pacientes para tratamento psicológico e psiquiátrico, sendo o mais comum aquele com diagnóstico de depressão neurótica ou bipolar. Há mudança constante da medicação antipsicótica e mesmo uso da eletroconvulsoterapia, que se mostram insuficientes para a melhora do quadro clínico físico e psíquico.

O trauma no início do desenvolvimento do Ser seria o elemento etiológico, atuando como predisposição e, devido a fatores ainda desconhecidos, seus portadores desenvolvem sintomatologia mais característica de EF ou de THB ou de TEPT com sintomas psicóticos ou um quadro clínico indiferenciado com manifestações dessas três entidades. Para mim, permanece sem explicação o porquê dessa diversidade, tema para futura cogitação.

O trauma

Freud preocupou-se com o estudo do trauma em 1919, época da realização do simpósio *A Psicanálise das Neuroses de Guerra*, relacionado com a primeira Guerra Mundial, que trouxe para si e contemporâneos sofrimentos pessoais múltiplos.

Naquela época, Freud escreveu: "As neuroses traumáticas não são, em sua essência, a mesma coisa que as neuroses espontâneas que estamos acostumados a investigar e tratar pela análise; até agora, não conseguimos harmonizá-las com nosso ponto de vista, e espero, em alguma época, poder explicar-lhes a razão desta limitação".

Talvez por essa insuficiência, tenha explicado os sintomas pós-traumáticos apresentados pelos soldados como benefícios secundários para escaparem do retorno aos campos de batalha. Ficou-nos devendo a explicação etiopatogênica. Estava voltado para o estudo da conciliação das suas teorias, então emergentes, com a reformulação da teoria dos instintos, com a técnica psicanalítica, ou talvez lhe faltassem mais subsídios da Biologia na época para entendê-los.

Em 1938, escreveu: "É possível que aquelas que são descritas como neuroses traumáticas (devidas a um susto excessivo ou graves choques somáticos como desastres ferroviários, soterramentos etc.) constituam exceção a isso; seus determinantes na infância até aqui fugiram a investigação". Conclui-se que Freud não adentrou nesse estudo.

Os atentados terroristas de 11 de setembro de 2001, envolvendo o World Trade Center e o Pentágono, têm originado uma retomada dos estudos sobre o trauma, como se pode ver acompanhando as recentes publicações psiquiátricas americanas.

Penso que ressaltar a importância de estudar o trauma em função das grandes catástrofes é uma visão reducionista de seu valor clínico, desde que um atropelamento leve ou uma violência sexual pode ter para suas vítimas dimensão caótica. O próprio Freud (1919) disse: "A neurose traumática não está relacionada somente à guerra".

Meus estudos, do ponto de vista psicanalítico, foram baseados em Winnicott (1962), Bick (1968), Tustin (1972, 1990) e Ogden

(1989b, 1996). No entanto, esses autores não consideraram o conceito de trauma como o faço nesse trabalho. Segundo o DSM-IV (1994), um evento só é considerado como traumático, quando a vitima ou testemunha tem um sentimento consistente de morte. Também seus organizadores não levaram em conta a classificação do trauma de acordo com a natureza desse evento, isto é, se físico ou psíquico, sua relação com sua ocorrência em uma etapa inicial do desenvolvimento psíquico, sua etiopatogênia e a sistematização da sintomatologia resultante. Este meu presente trabalho apresenta-se singular nesse sentido.

Os psiquiatras e os neurobiólogos, por sua vez, têm-se preocupado com o diagnóstico clínico, a epidemiologia e as manifestações neurobiológicas ligadas ao trauma. Eles não têm comunicação com a Psicanálise, como nós não temos com eles. Perdem eles, nós e os pacientes. Há poucos anos alguns representantes dessas áreas comuns perceberam a importância desse estudo conjunto e daí surgiu a Associação Internacional de Neurociência e Psicanálise, com encontros constantes e contribuições importantes, como aquelas apresentadas por ocasião do IV Congresso Internacional de Neuropsicanálise em 2005, realizadas no Rio de Janeiro, e do qual participei.

O conceito da Síndrome de Desconexão

Descrevi o conceito da Síndrome de Desconexão (Salim, 2003) como um movimento inato e reflexo da vítima de trauma físico ou psíquico em busca do estado autista, no qual há uma regularidade do ritmo das funções vitais, que dá ao ser emergente a noção de estar existindo, com os processos evolutivos e de adaptação acontecendo simultaneamente. Isso se faz por meio de um movimento de desligamento de partes do lobo frontal do córtex cerebral do sistema límbico. A vítima fica mais regida pelos registros da memória de longo prazo, voltada para a sobrevivência, cuja sede é a amígdala cerebral.

No dizer de Tustin (1972), é uma "procura pelo próprio corpo", quando as condições do meio se tornam adversas em busca de preservação e serenidade.

Ao recorrer à desconexão, seu portador se modifica, por vezes, radicalmente, não se reconhecendo mais. Fica ausente de si mesmo. Metamorfoseia-se.

Franz Kafka (1915) escreveu um fantasmagórico conto da literatura universal, que denominou de *A metamorfose*. Escrevi (Salim, 2004b) um ensaio literário-psicanalítico sobre esse conto, tanto para entendê-lo, como para ilustrar clinicamente esse meu conceito.

É sintomático como Kafka descreve a metamorfose de Gregor Samsa em uma barata, um animal. O personagem central vive como esse inseto, mas pensa como um ser humano com funções cognitivas preservadas. Esse conto reproduz nossa condição de homem e animal.

O portador de Desconexão está imerso em seu mundo animal primitivo. Passa parte do tempo deitado, imóvel, vivendo entre a vida e a semivida, à borda, somente com o mínimo necessário. Não deseja ser incomodado.

Rilke (1922), em *Elegias a Duíno*, descreve com leveza e fidelidade o sentir do indivíduo nesse estado. Segue um trecho:

> "Certamente é estranho não mais habitar a terra, não mais praticar costumes apenas apreendidos, não mais dar destino humano às rosas e a outras coisas promissoras; não mais ser aquilo que se era, entre mãos infindamente angustiadas, e esquecer, até, o próprio nome e largá-lo como um brinquedo quebrado.
>
> Estranho, não mais desejar os desejos.
>
> Estranho ver, flutuando no espaço, tudo que estava relacionado.
>
> E o estar-morto é penoso e pleno de tentativas para chegar a sentir, enfim, um pouco de eternidade".

Essa preciosa descrição poética do viver autista destaca o valor das artes e dos artistas para expressar as formas mais excêntricas, esdrúxulas e sensíveis do experimento humano, quase todo ele originado da trama entre o Ser animal e o Ser homem, entre o mundo dos vivos e o mundo dos semivivos, entre o mundo orgânico e o mundo inorgânico, entre o mundo animado e o mundo inanimado e entre as estruturas neurais subcorticais e as corticais.

O trauma está no paciente à espera da nossa atenção afetiva. Não a intelectual. Esse já se sente desamparado, só, vazio, sem vida, sem massa, sem calor, sem cheiro, sem desejo e sem uma pele protetora. Subjuga-se à sonolência, à apatia, à fadiga, ao imobilismo. Torna-se insuficiente para falar, caminhar ou se sustentar de pé. Aterroriza-se ante o medo de se desfazer, que o leva a manter ativados seus sistemas de alarme existentes nessas estruturas neurais (Sidarta, 2003), relacionados ao risco da morte, como um sistema antivírus para o computador. Ao tentar preservar a vida e sentir segurança e tranquilidade por meio da desconexão, fica, paradoxalmente, mais próximo da morte. Em decorrência, mantém de forma dialética uma exaltação dos sentidos e do pensamento que impedem o sono tranquilo e prolongado pelo próprio medo de morrer. O paciente relata a vontade de ficar só, quase todo o tempo deitado, mas sem conseguir dormir. Esse estado é alternado com momentos de sensação de morte iminente, de aflição, de dor no coração, de taquicardia e de sudorese. Torna-se vulnerável para tolerar estímulos sensoriais mais intensos, sejam eles térmicos, olfativos, visuais, gustativos, táteis e sinestésicas. Outro trauma de natureza física (maus tratos, cirurgia, sequestro e outros) ou psíquica (separação, perda, acusação e outros) pode ser desastroso.

Panksepp (2005), importante neurofisiologista, descreveu mecanismo idêntico ao meu descrito como Desconexão.

O estado de Desconexão é presidido pelo sistema nervoso autônomo e tem importância no destino do portador do trauma. A sensação sensorial é o um elemento importante nesse processo. Além de fazê-lo sentir vivo, ainda lhe possibilita desenvolver a noção de lugar (onde está) e de como é (está sendo).

A importância da experiência sensorial pode ser destacada em nossa vida diária pela sua própria procura. Por exemplo, as pessoas se coçam, esfregam as mãos, apertam objetos duros nelas ou na boca (chaves, canetas, unhas ou contas de um terço de rezar), ficam enrolando os cabelos com as pontas dos dedos ou dedilham as contas de um terço. São atos repetitivos e praticados de forma sempre rítmica, que lhes conferem um sentimento de inteireza e de coesão, contrários ao sentimento de se estarem desfazendo. Não há participação do pensamento, isto é, não são feitos de cabeça. Buscam-se, também, sensações de natureza olfativa, auditiva, visual, gustativa ou sinestésica. O universo sensorial foi descrito por Tustin (1990) como o universo dos "objetos autistas" e das "formas autistas".

A angústia de morte resultante ao trauma, se não é finalizada, gera sintomatologia representada por sensações de decomposição física, de perda de fezes e de urina, de queda ininterrupta no espaço em busca de algo para agarrar-se sem o conseguir; verificam-se, também, sensações de perda ou de paralisação de membros, além da ocorrência de sintomas persecutórios. Esses últimos, a saber, os persecutórios, são por mim compreendidos de maneira diferente do referencial clássico, conforme mostrarei adiante, um dos objetivos deste trabalho.

O conceito da Síndrome de Desconexão tem-me auxiliado no entendimento e tratamento psicanalítico desse mal compreendido paciente. Ele nos procura para tratamento devido ao sofrimento e à insuficiência para o exercício de suas atividades adultas. Sua vida profissional, social, familiar e sexual torna-se precária, porque fica entregue aos seus recursos biológicos e psicológicos do estado autista diante de um mundo externo com demandas crescentes de atividades para sobreviver, somada às próprias cobranças superegoicas, sempre acentuadas nesse paciente, que se sente culpado e inferior.

Segundo Selye (1936), o pai dos estudos sobre estresse, esse esforço a mais e continuado gera um estado de desgaste, como acontece com um motor ajustado para uma tarefa que demanda dele mais potência. Esse estresse exaure seu portador, que passa a desejar a própria morte por falta de força e tolerância para continuar vivendo.

Estresse é um termo de múltiplos significados. Nesse trabalho, porém, ele é empregado com essa referência de Selye e envolve como o trauma uma proximidade com o sentimento de morte.

O retorno à Biologia

Freud desejou a Psicanálise fundamentada na Biologia, mas dela se distanciou e seus seguidores, com poucas exceções, se distanciaram mais ainda.

A propósito, Andrade (2003) escreveu: "Após a morte de Freud, os conhecimentos psicológicos considerados por ele como provisórios foram assumidos como definitivos pela maioria de seus seguidores, de forma a apartá-los completamente das raízes biológicas".

Entre os psicanalistas há uma concordância de que as psicoses estão relacionadas a falhas no desenvolvimento psíquico inicial, ou seja, falhas no desenvolvimento do ego.

Freud (1938) enfatizou a importância dessas falhas iniciais, embora não se estivesse referindo às psicoses especificamente, nem ao trauma, como conceituado neste trabalho. Diz ele: "O dano causado ao ego pelas suas primeiras experiências nos parece desproporcionalmente grande; porém, basta tomar como analogia a diferença existente nos resultados produzidos pela picada de uma agulha em uma massa de células durante o processo de divisão celular [...] e em um animal adulto plenamente desenvolvido a partir delas. Nenhum ser humano está isento de tais experiências traumáticas; nada escapa das manifestações que resultam delas".

O registro psíquico do trauma precoce é ratificado por Wilheim (2004), uma estudiosa do psiquismo inicial. Diz ela: "Todas as experiências biológicas ocorridas com o ser, desde a formação de cada uma das células básicas componentes - espermatozoide e óvulo - até o momento do nascimento, ficam inscritas em uma matriz básica por meio de uma memória celular, proporcionando a matéria-prima para a produção das fantasias inconscientes. Assim, de fato, as fantasias são de fato memórias: correspondem às representações dos *imprints* de nossas impressões sensoriais iniciais, que ficam armazenadas como matéria-prima para a produção de pensamentos nos quais mais tarde irão transformar-se, quando um aparelho mental suficientemente desenvolvido estará disponível".

Ogden (1989b) postulou a existência da posição autista-contígua no início do desenvolvimento psíquico, segundo ele, anterior à posição esquizoparanoide de Klein (1946) e do falso *self* de Winnicott (1962). Em trabalho anterior (Salim, 2001b), sumarizei essas contribuições. Como síntese, escreveu Ogden: "Conservei a palavra autística para designar a mais primitiva organização psicológica... A palavra contígua é particularmente adequada, favorecendo a nomeação dessa organização, uma vez que a experiência de haver superfícies que se tocam... provê a antítese necessária à conotação de isolamento e desconexão contida na palavra autística".

Procurei fontes para confirmá-lo e as encontrei na Psicologia Experimental, com as experiências de Harlow (1958) com macacos recém-nascidos e outros após dez dias o nascimento, e de Levine (1962) com ratos recém-nascidos, descritas em trabalho anterior (Salim, 2005a). Neste tentei expor a relação da etiologia do TEPT com o trauma no período autista-contíguo.

Pode-se conjeturar, assim, que um trauma nesse período tem efeitos psicopatogênicos diferentes e mais graves do que quando ocorre em época posterior, seguindo a observação clínica de que quanto mais precoce o dano, mais grave é a doença.

Talvez seja procedente estender às psicoses a hipótese da relação do TEPT com esse trauma inicial, mas dentro de um enfoque biológico, e conjeturar que o desenvolvimento de uma psicose está relacionado à ocorrência de trauma naquele período. Desse modo poderíamos substituir falhas no desenvolvimento por traumas no desenvolvimento agravado por falhas ambientais após o nascimento.

Corroboram essa hipótese os fatos apontados da dificuldade de diagnóstico diferencial entre essas três entidades com alguns pacientes, devido à diversidade e ao antagonismo da sintomatologia e ao habitual tratamento psicofarmacológico idêntico para essas entidades, quando o TEPT vem acompanhado de sintomas psicóticos, embora tratamento idêntico não signifique certeza de diagnóstico e etiologia.

Uma dedução clínica relevante é que se torna mais compreensível entender os sintomas psicóticos como expressões do estado de desamparo do seu portador em busca de proteção pela sua insuficiência para o viver, do que como produtos da matriz psíquica esquizoparanoide de gerar elementos psíquicos, principalmente, os persecutórios. Essa proposição já foi exposta por mim (Salim, 2001a).

Outra dedução, tema para outro trabalho, não menos importante, é a possibilidade de estabelecer as bases psicobiológicas da atenção flutuante de Freud (1912) e a condição sem memória e sem desejo de Bion (1962). Basta considerarmos que os movimentos de taquipsiquismo e bradipsiquismo do portador do trauma podem contaminar de forma sensorial a escuta psicanalítica, impedindo as condições necessárias para obter o estado de mente para as escutas citadas.

Para substanciar a hipótese objeto desse trabalho, o trauma como elemento central na psicopatologia desse paciente, e ilustrar as considerações feitas sobre a sintomatologia e o diagnóstico, apresento relato do tratamento de M., cujo diagnóstico inicial foi de EF ou THB, segundo parâmetros clássicos da Psiquiatria, e depois foi-se caracterizando como TEPT acompanhado de sintomas psicóticos. Seu tratamento foi conduzido com alguns aportes iniciais do conceito de desconexão. Finalizo com a revisão desse caso clínico sob a luz desse conceito, agora mais definido.

Material clínico

M. era uma empresária voltada para si, pouco afetiva, empreendedora, inteligente, dotada de acentuada censura moral, econômica e desconfiada em relação a dinheiro. Deixou de confiar no banco, onde deixava o mínimo de dinheiro possível.

Os primeiros sintomas de doença foram tremores dos dedos das mãos, espasmos ocasionais da musculatura estriada da face, quedas ao solo e sintomas de depressão sem antecedentes na história pessoal. Foi feito um diagnóstico inicial, por um médico clínico, de doença de Parkinson e recebeu medicação antidepressiva com resultado terapêutico insignificante.

Como persistiram esses sintomas, foi encaminhada a um neurologista e, na propedêutica realizada, foi descoberta a existência de hematoma extradural na região occipital como resultado dessas quedas no solo. Foi submetida à craniotomia para a retirada do mesmo.

Dias depois, houve um agravamento de seus sintomas. Passou a dormir mal, conversar pouco, tornou-se repetitiva, sem apetite e mostrava-se ora prostrada, ora agitada. Distanciou-se afetivamente daqueles que a cercavam. Deixou de sair para passear, não conseguia mais assinar cheques, tinha dificuldade para evacuar e continuava sofrendo quedas sucessivas ao solo, embora mantivesse total consciência da ocorrência das mesmas. Levantava-se à noite, indo de quarto em quarto e voltando à cama. M. se tornara uma paciente de difícil manejo a tumultuar seu ambiente familiar.

Fui solicitado para atendê-la, quando foi contada esta história clínica pelos familiares. Dirigi-me ao quarto de M. Encontrei-a semideitada. Recebeu-me com cortesia e acolhimento. Demonstrou que eu era aguardado. Logo, começou a contar a história da cirurgia em detalhes. Parecia assustada em relação à mesma e a relatou duas vezes quase igualmente. Entendi essa repetição pelos estudos iniciados, como remendo para acalmar-se, provavelmente porque tivera vivência de morte em decorrência dessa cirurgia. Esse entendimento auxiliou-me a ter paciência e tolerância para continuar ouvindo.

Prosseguiu falando da mesma e, em determinado momento, falou das quedas ao solo. Indagada, descreveu-as como perda momentânea da força muscular, semelhante a um desfalecimento com preservação da consciência. Não se sentia suficiente para evitá-la. Faltava-lhe força física para se sustentar em pé.

Logo, voltou ao relato da cirurgia e prolongou-se até o fim do atendimento. Foi preciso interrompê-la com a promessa de que voltaria para continuarmos a conversa. Surpreendeu-me seu vigor físico para se levantar da cama, seu olhar fixo e contínuo voltado para mim e o convite para conhecer a casa. Chamou minha atenção essa súbita manifestação de intimidade e disposição física, que senti incômoda em um primeiro momento, mas aceitei o convite. Depois, retornamos ao quarto e nos despedimos.

Ao sair, seu marido me contou que M. andava esquisita. Dizia que via e ouvia soldados andando em volta da casa. Isso acontecia algumas vezes ao dia. Alterava sua vida diurna e noturna, com perturbações dos hábitos de higiene, de alimentação e de dormir. Perambulava inquieta pela casa, deitava-se tarde e acordava cedo. Alternava esse comportamento com outros de prostração. Não conseguia mais administrar a parte doméstica da casa, emagreceu pela dificuldade para alimentar-se e evacuar; era como se perdesse a força física e psíquica. O mau funcionamento intestinal incomodava-a. Obrigava-a ao uso de laxantes, utilizados sem resultado. Estava em uso do antidepressivo. Temia a possibilidade de M. não se recuperar.

Julguei oportuna uma avaliação por um colega psiquiatra. Este concordou com meu diagnóstico entre a EF e o THB. Sugeriu uma medicação (Olanzapina-10mg ao dia).

Diante da receptividade da paciente, iniciei a Psicoterapia Analítica com uma sessão por semana, pela dificuldade de atendê-la em sua casa.

Combinei com M. meu retorno para a semana seguinte, no mesmo dia e no mesmo horário. Nessa época, estava convencido de que, mesmo de uma forma espaçada, esse paciente requer regularidade e constância de horário, de acordo com a constância do ritmo das funções vitais, garantindo-lhe uma previsibilidade sem a qual são incertas as melhoras, mesmo bem medicado. É como se o corpo registrasse esta regularidade, como se pensasse com o corpo, sem participação da racionalidade, independente do intervalo de tempo entre os encontros. Tudo isto aconteceu em uma quarta-feira.

Na segunda-feira seguinte, o marido fez contato por telefone. Disse que M. apresentara uma melhora significativa, mas estava preocupado com o diagnóstico de Parkinson. Disse-lhe que não havia atentado para este detalhe e que, naquele momento, o mais importante era tratar do quadro psíquico. Ele concordou comigo.

Ocorrência do surto psicótico

Na terça-feira, por volta de vinte e uma horas, o marido voltou a telefonar à procura de orientação. M. estava agitada e havia dificuldade para contê-la. Queria medicá-la, mas ela dizia que só tomaria o remédio com o marido. No entanto, olhava-o e referia-se a ele como um homem estranho, que havia entrado em seu quarto assim que o marido saíra. Lá, o homem permanecera, incomodando-a com sua presença, em busca de um contato sexual. M. exigia que chamassem a polícia para retirá-lo. O marido pedia orientação.

Certamente, não era recomendável medida de força. Disse-lhe que, se não conseguisse medicá-la com o tranquilizante, fizesse novo contato. Para mim esse surto seria transitório diante das melhoras apresentadas, mas não o entendi de imediato.

No dia seguinte, na quarta-feira, já em sua casa, seu marido me disse que conseguira dar a medicação e que M. acordara menos confusa e menos agitada. Agora dormia. Havia passado bem toda a semana, dormindo sem sobressaltos, com o quadro alucinatório dos soldados ocorrendo discreto pelas manhãs. Alimentava-se melhor, o funcionamento intestinal melhorara e já conseguia redigir e assinar cheques, embora com alguma dificuldade. Contou-me que, no dia anterior ao surto, M. se levantara bem, sem apresentar sintomas delirantes.

O marido desejava esclarecimentos sobre a ocorrência do surto. Na ausência de uma resposta adequada, respondi-lhe que de alguma forma estava relacionado às melhoras apresentadas. Para mim mesmo, relacionei o surto à revitalização de M., agora mais fortalecida física e psiquicamente. Voltava ao mundo dos vivos, daqueles que podem ter desejos, em oposição ao mundo dos semivivos. O surto erótico deveria estar relacionado a mim, por ter ocorrido na véspera de nosso encontro. Entendi que M. se sentia seduzida por mim e isto podia ser considerado um sinal de melhora.

Tal entendimento remeteu-me à lembrança do incômodo que senti ao final do primeiro atendimento. Considerei-o, então, como um fato analítico. Tinha a ver com o surto. Eu estava me sentido seduzido por ela, também, devido ao modo jovial com que se levantou da cama, pelo seu olhar fixo e contínuo voltado para mim e ao convite para me mostrar a casa.

Pude, então, sentir-me mais relaxado quando a encontrei no quarto, após a conversa com os familiares. M. acabara de acordar. Cumprimentou-me de forma amistosa e pediu licença para ir ao banheiro. Quando voltou, desejou falar sobre o acontecimento recente. Contou com absoluta certeza do que estava falando, da entrada do homem no quarto em busca de sexo, o qual se teria aproveitado da saída do marido, para ficar com a filha no hospital, naquela noite. O homem havia-se deitado a seu lado na cama. Por várias vezes, fez questão de mencionar que não houve consumação de qualquer contato físico. Estava aliviada, porque os familiares compreenderam o sucedido sem lhe fazer nenhuma reprovação. Esse relato foi longo e ouvido em silêncio, sem perguntas ou demonstração de qualquer discordância ou concordância em relação ao absurdo do mesmo.

M. manifestava a existência de um vínculo erótico comigo, devido à admiração e a confiança em minha pessoa. Disse-lhe que a entendia e que não havia coisa alguma a temer, porque eu e seus familiares estávamos a seu lado. Ouviu-me calada, e nos despedimos em seguida.

Interpretando o delírio à época

À época do atendimento dessa paciente, orientava-me pelos conceitos clássicos da Psicanálise e da Psiquiatria sobre as psicoses. Foi com esse referencial clássico que me conduzi no primeiro momento. Interpretei a alucinação com os soldados como produto da rigidez de M., ditada por conceitos religiosos, morais e éticos característicos de sua personalidade autoritária e obsessiva compulsiva, além de suas identificações projetivas persecutórias. Assim, também, entendia as desconfianças da paciente em relação ao dinheiro, o que colocava todos sob suspeita.

Era produto de objetos internos sempre em prontidão para evitar a transgressão relacionada a impulsos incestuosos; era resultado da presença de um superego rígido, que se instalara a partir de introjeções de objetos externos idênticos aos existentes ao longo de sua formação pessoal.

O segundo delírio, o qual envolvia um intruso, representava o desejo de ter relações com ele naquela noite e, para tanto, M. imaginou que enviara o marido ao hospital a fim de auxiliar no tratamento da filha lá hospitalizada. Ocorreu-lhe, provavelmente, o desejo de manter um relacionamento sexual com o intruso. No entanto, reprimiu esse desejo e passou a ver o homem à sua frente como um ser indesejável, ficando inquieta e agressiva com sua presença e exigindo que os parentes o expulsassem. O surto resultaria da existência de desejos edípicos reprimidos voltados para minha pessoa: era significativo o fato de o delírio ter ocorrido na noite anterior a minha ida para a sessão semanal. Associei essa possibilidade com o entendimento do incômodo sentido no final da primeira sessão, relacionado às tentativas de sedução de M. Tal associação tornou mais fácil chegar ao entendimento do delírio. A relação estava sendo presidida pelo terceiro sujeito analítico de Ogden (1996), no caso o sujeito sedutor, o pai edípico e a filha edípica. Não neguei que estava ocorrendo um envolvimento recíproco.

Esses entendimentos facilitaram o contato com M. O mesmo não aconteceu a ela. Em função da rigidez moral e da exacerbação dos impulsos sexuais incestuosos reprimidos, M. fez o *acting out*.

Eu começava a desenvolver o conceito de desconexão, baseado no estudo do trauma e no estado de desamparo da vítima. Sob a luz daqueles incipientes estudos, houve uma mudança importante na compreensão desses delírios, no momento seguinte.

Passei a interpretar o sentimento persecutório em relação aos soldados e ao estranho como uma necessidade de ser encontrada por eles que, paradoxalmente, a protegeriam do medo caótico de se desfazer. Esse medo era, literalmente, representado pelas consecutivas quedas ao solo em decorrência da falta de força física.

Pude, então, deixar de ver a manifestação erótica como sexualidade perversa relacionada à repressão e talvez ao Édipo, para ser entendida como necessidade de M. me sentir como uma "segunda pele" (Bick, 1968), devido ao seu medo de se desfazer.

Esse juízo me levou a compreender sua relação comigo como vital. Contudo, ainda não possuía a dimensão real da minha importância pessoal para ela, como se verá adiante .

Tais entendimentos parciais foram importantes para o êxito da continuidade do tratamento pela tranquilidade e espontaneidade que me propiciaram preservar a regularidade do *setting*, garantida pelo tom de voz, o olhar e o cumprimento de mãos, todos elementos sensoriais.

Evolução clínica

Após dois meses de uso do antipsicótico, o mesmo foi suspenso devido às apreciáveis melhoras da paciente, que se mantiveram por um ano.

Passou a beijar os filhos na entrada e na saída dos mesmos da casa. Voltou a sair acompanhada do marido e a fazer caminhada com ele. Não mais caiu ao solo. Fez uma viagem de férias por dez dias. Sua vida retornava à regularidade.

Como estabelecido, em uma quarta-feira, voltei à sua casa. Fui recebido com cordialidade. M. levou-me até a sala de visitas, ao contrário de antes, quando me recebia na antessala, onde nos sentávamos. Comentava, então, objetivamente, como vinha se sentindo; em geral, falava da sua saúde física e da sua trajetória profissional. Só uma vez mencionou um sonho, sem valorizá-lo e, algumas vezes, falou de si como pessoa, citando alguns dados familiares, embora soubesse estar em Psicoterapia.

Neste dia começou a exibir vários livros de arte, presentes de amigos. Delongava-se no relato das histórias destas amizades. Próximo do final da sessão, convidou-me de forma pouco audível para tomar café com ela, e ela o repetiu de modo mais explícito. O inusitado do convite deixou-me embaraçado. Pensei na neutralidade analítica e disse-lhe, atrapalhado, que o aceitaria na outra quarta-feira. Não me ocorreu nem mesmo uma só desculpa razoável. Não aceitar o convite foi desastroso.

Na sexta-feira, à noite, dois dias depois, seu marido me telefona para comunicar a mudança de M. Estava ora inquieta, ora prostrada e não dormia. Desejavam saber, apenas, sobre a medicação indicada para acalmá-la. Não queriam atrapalhar meu fim-de-semana. Ainda assim, disse-lhes que ia vê-la. Não concordaram e, assim, foi recomendada uma medicação sedativa. Porém, a reação de preocupação permaneceu. Na segunda-feira cedo, o marido solicitou a antecipação da sessão. Ao chegar, encontrei-a assentada, prostrada, cabisbaixa, quase imóvel. Com um olhar sem brilho, não conseguia levantar nem a cabeça para cumprimentar ou fazer uma saudação. Estava desfeita. Seu estado deixou-me apreensivo. Havia ocorrido uma metamorfose.

Relacionei essa piora a minha recusa ao seu convite para tomar café com ela. Senti-me mal por não ter aceitado e não havê-la assistido pessoalmente, na sexta-feira, no sábado ou no domingo. O estado físico de M. requeria cuidado e avaliação de alguma intercorrência clínica, pois ela era diabética. Concluí com os familiares a necessidade de ser avaliada por um clínico e por um neurologista.

A piora deixou-me incomodado. M. sentira-se indesejada e desamparada após a recusa ao convite, sentindo-se não apreciada. Isso não correspondia à realidade, pois era grande meu zelo por ela. Depois, com a piora, fez-me sentir incompetente para tratá-la e a outros pacientes, com os quais vinha obtendo êxitos que indicavam a procedência de meu novo referencial, e a senti-la como fraca por se ter desfeito. Estava, também, modificado.

Fiquei subjugado por esse sujeito incompetente neste momento crucial para ela, quando mais precisava da minha convicção de que poderia ajudá-la, mesmo com o clínico e o neurologista a ditarem seu tratamento.

Continuei a vê-la, mas já não mais levava o *setting* analítico comigo. Já não mais sustentava minhas convicções anteriores.

Enquanto hospitalizada, M. foi submetida a inúmeros exames radiológicos e laboratoriais invasivos. Dois dias depois, saiu do quadro de prostração e passou a apresentar agitação. Tornou-se agressiva com aqueles que a queriam conter fisicamente para a realização de exames e para tomar a medicação prescrita. Foi preciso proceder à sedação com o auxílio do mesmo colega psiquiatra. Este lhe prescreveu Haldol 5mg, duas vezes ao dia, e 25mg de Amplictil, ao deitar-se. Ainda assim, apresentou poucas melhoras. Os exames realizados não revelaram a existência de qualquer causa orgânica. M. retornou para casa e o clínico e o neurologista afastaram-se.

Voltei a pensar nos fatos analíticos: o fato de M. ter-me julgado distante e ter-me feito sentir que meu tratamento lhe era insuficiente. Foi incômodo me admitir como causador de sua transformação, e a improcedência da avaliação de julgá-la fraca por se ter desfeito. Considerei os impulsos sexuais da paciente como uma segunda pele e sua relação com a delicada reação que tivera ao recusar seu convite. Pude considerar, então, minha recusa como traumática. Produziu-lhe uma ruptura do seu sentimento de continuidade, ruptura por onde vazou tudo que havíamos conseguido em termos de confiança e segurança. Desfez-se, como descreve Rosenfeld (1980), ao comparar esse quadro a uma hemorragia, um sangramento.

Voltei a acreditar em meus estudos. Convenci-me de que M. apresentava um quadro de hiperestimulação (exaltação), alternado com hipoestimulação (imobilismo), sintomas antagônicos, sugerindo transtorno do humor bipolar acompanhado de sintomas esquizoides, mas que podiam ser oscilações antagônicas decorrentes do trauma.

Passei o atendimento psicoterápico para duas sessões por semana. Ela melhorou e voltou a apresentar momentos de choro e afetividade com os filhos. Parecia se recuperar.

Semanas depois, apresentou outro delírio. Insistia no desejo de voltar à casa antiga e precisou ser contida. O portão da casa teve de ser trancado com cadeado.

Compreendi esse delírio como expressão do desejo de voltar a sentir-se tão confiante em mim como antes. Esse delírio perdurou por algum tempo e desapareceu espontaneamente para dar lugar a outra manifestação clínica.

Andava de modo diferente a cada dia. Curvava-se, rígida, para frente num dia; em outro, curvava-se para trás; em outro, para a direita; e em outro, para a esquerda. Era muito estranho vê-la caminhar daquele modo, sem poder aliviá-la. Procurei entendê-la, segundo Tustin (1990) e sua teoria dos "objetos autistas" e das "formas autistas". Essa rigidez muscular era um objeto autista. M. fazia do próprio corpo um instrumento gerador de sensações para sentir coesão. Era um arranjo dramático para se sentir viva.

Intensifiquei minha atenção para com M. Acompanhava-a para o café e para ouvir música clássica, que outrora apreciara. Notei poucos progressos.

Certo dia, M. recebeu a visita de um sobrinho médico que

lhe fez nova prescrição de remédios. A partir do dia seguinte, inexplicavelmente, começou a melhorar e me vi afastado dela. Este fato atestava a importância para o tratamento de M. do elemento afetivo.

Um mês depois, seu marido me telefona para avisar que M. falecera de forma tranquila quando se sentou para tomar o café da manhã. Certamente seu sobrinho médico a desapontara em algum momento.

Revisitando M. segundo o conceito da Síndrome de Desconexão

Seguem alguns comentários sobre o caso clínico em questão, sob a luz do conceito de Desconexão, agora mais definido para mim.

A aposentadoria precoce de M. lhe foi traumática. Seu trabalho profissional bem sucedido e ininterrupto funcionava como seu olhar fixo e contínuo. O olhar era uma emenda para manter seu sentimento de coesão física e psíquica. Constituía uma segunda pele, assim como os seguidos êxitos profissionais. É como a dedicação desmesurada à ginástica em busca do fortalecimento da musculatura estriada. No caso de M., pode ser aqui citada a manutenção criteriosa e extremada da escrita financeira, outro remendo protetor.

Outro trauma foi a craniotomia, à qual a paciente se referiu em detalhes na data do primeiro atendimento. A cirurgia provavelmente a levou ao quadro psicótico persecutório com os soldados.

Sobre esse quadro, mantenho o mesmo entendimento da época. M. procurava serenar-se das angústias catastróficas de desfazer-se, embora isto pareça paradoxal, em busca do cuidado dos soldados.

A história de traumas precoces ou anteriores normalmente não é detectada pela narrativa do próprio paciente, que se esquiva da sua lembrança ou de qualquer indicativo que possa levar a ela. Há um movimento de esquiva em relação à lembrança do trauma.

Em oposição a esse movimento, há outro oposto, caracterizado pela presença de imagens e lembranças sobre a forma de *flash-backs*, que ocorrem independente da vontade consciente do portador do trauma de esquecê-las. Aqui se repete o que acontece em relação ao antagonismo da sintomatologia.

Existe, ainda, o recurso aos sonhos para chegar a esses traumas, pela relação desses com a memória procedural ou implícita. Os sonhos tornam-se repetitivos e continuam até na idade adulta ou senil.

No entanto, o meio mais importante é a presença da sintomatologia autista, como já citado. Por ela, podemos afirmar que houve um trauma precoce, embora não possamos reconhecer qual foi, e que determina o modo de ser do seu portador por toda a vida. Uma tendência para o imobilismo e a lentidão, observados desde a infância até a vida senil, pode indicar que houve um traumatismo significativo do parto ou no período fetal.

Nesse sentido, considero muito útil para a prática clínica o conhecimento da psicopatologia autista.

Do ponto de vista terapêutico, é importante considerar o corpo do analista tendo cor, cheiro, forma, acrescido de outros elementos sensoriais, tais como o timbre da voz, a tensão do aperto de mãos, o modo de andar e olhar, a indumentária e outros, que funcionam como uma sutura para uma ferida sangrando.

É frequente o paciente explicitar preocupação com a saúde física do analista, mais os pacientes graves. Sempre chegam para a sessão perguntando como estamos. Qualquer fragilidade física nossa é motivo de medo para eles, como se fôssemos um esparadrapo fraco no qual não podem confiar para auxiliá-los, de forma incondicional e constante, no tratamento de suas feridas.

Esse fato não é fortuito. O remendo tem uma natureza psíquica e física, como já expus (Salim, 2002). Ele tem inúmeros elementos sensoriais e elementos cognitivos. Ogden (1996) propõe a hipótese de que, na ausência da mãe, o recém-nascido volta-se para o próprio corpo, para a regularidade do ritmo das funções vitais. Isto é o mesmo que dizer que seu corpo se torna sua mãe e que necessita de ambos, seu corpo e sua mãe, como um *band-aid*, enquanto estão nessa etapa inicial do desenvolvimento. Depois a mãe vai ter outro papel de grande importância para o desenvolvimento pleno dos processos cognitivos e de maturação do recém-nascido.

M. respondeu, nestes termos, à minha recusa. Decompôs-se na ausência da colagem executada pelos movimentos da sexualidade. Melhor teria sido aceitar o convite.

Para além do manto do impulso sexual, de natureza edípica ou não, está o impulso voltado para a sua preservação, como observamos em presos e animais confinados, que desenvolvem vários tipos de perversões sexuais quando têm a sobrevivência ameaçada.

Se o paciente mantém conosco, seu psicanalista, um vínculo tido como simbiótico ou erótico, por muitos considerados como indesejáveis, é preciso responder a eles com empatia, sem ficar dominado pelo medo de transgressão às regras da técnica. A relação não pode ser presidida pelo desamparo e pelo medo. Esse paciente necessita de nossa presença física concreta de forma saudável para obter a segurança, através dos estímulos sensórios, de estar existindo. Aceitar o convite de M. para o café não caracterizaria transgressão técnica.

Quanto mais grave for o paciente, maior tem de ser nossa disponibilidade para a empatia e até mesmo o contato físico, pela sua demanda de uma segunda pele.

Considero M. portadora de TEPT com sintomas psicóticos. O desconhecimento da sua etiologia e do seu diagnóstico favorece o caráter precário dos tratamentos clínicos existentes e a evolução crônica do mesmo, assim como das psicoses mencionadas.

Os psicanalistas estão mais aptos a valorizar a sensação de desamparo diante da angústia de morte física e da loucura em decorrência do trauma, e a manter a regularidade do *setting* terapêutico, elemento necessário para restabelecer o sentimento de segurança. Isto se torna possível pela sua consciência da existência dos fenômenos de transferência, contratransferência, da intersubjetividade e da empatia.

Diante do exposto, considero pertinente prosseguir estudando a hipótese desenvolvida nesse trabalho. A clínica psicanalítica atual apresenta um número crescente desses pacientes, devido às mudanças sociais, culturais e econômicas de nossos dias, que elevam o índice da ocorrência da violência física e psíquica.

Para finalizar, algumas indagações:

a - Considerando correta a hipótese de que os pacientes atípicos têm como elemento etiológico comum o trauma, a desconexão e o estresse, esses pacientes não poderiam ser reunidos sob uma só denominação?

b - Considerando meus estudos sobre o trauma e o estresse, indago se o aprofundamento dos mesmos não pode vir a favorecer o encontro do marcador biológico para as entidades clínicas citadas, procurado pelas ciências biológicas?

c - Seria oportuno, nesse sentido, o estudo da relação entre o trauma, o sonho e a psicose sob a ótica atual da Neurobiologia?

d - A expressão núcleo psicótico, utilizada por alguns autores psicanalíticos de forma indefinida e imprecisa, não poderia ser substituída com mais propriedade por núcleo traumático, entendido como resíduo do trauma?

e - Como a teoria do narcisismo primitivo, largamente divulgada e defendida pelos psicanalistas, tem paralelo com o retraimento autista, não seria recomendável uma melhor avaliação dessa teoria do narcisismo sob a ótica do trauma?

Capítulo X

Autismo psicogênico, personalidade autista e trauma (2006)*

Meu trabalho clínico com pacientes jovens e adultos tem sido marcado pelas contribuições de Tustin (1990) sobre o autismo psicogênico, reunidas no livro *Barreiras autistas em pacientes psiconeuróticos*. Considero suas contribuições fundamentais para novos conhecimentos nesse enigmático e complexo campo. Ela estudou essa psicopatologia durante anos em crianças autistas e em jovens e adultos. No citado livro, aborda a sintomatologia e a etiologia relacionada à adesão aos denominados "objetos autistas"

---

* Trabalho publicado na *Revista da Sociedade Brasileira de Psicanálise do Rio de Janeiro*. 2006. 7 (1): 119-140.

Nota explicativa

Em 2006, ganhei de uma candidata em supervisão um exemplar xerocado do livro de Tustin *Barreiras autistas em pacientes psiconeuróticos*. O caso clínico da supervisão estava sendo compreendido com minhas noções de trauma, desconexão e retraimento autista. Era exatamente do que precisava para aprofundar meus estudos.

De difícil leitura no início, tornou-se agradável e enriquecedor à medida que eu ia entendendo seu conteúdo. Estudei-o durante um ano e, em 2007, montei um grupo de estudos que teve a duração de dois anos, com cinco profissionais interessados. Foi uma experiência valiosa, porque foi minuciosa a leitura do livro associada à apresentação de casos clínicos nossos.

Passei a compreender melhor a importância do trauma conceituado pelo DSM-IV (1994) para a clínica, sua relação com as sensações autogeradas, geradas segundo Tustin por "objetos autistas", e as "formas autistas", o estudo da memória implícita e o mecanismo de retraimento autista, como defesa biológica inata e instintiva empregada pelos seres vivos em busca da sobrevivência, devido à absorção e ao consumo mínimo de oxigênio para manutenção das funções vitais nesse estado. Esses desenvolvimentos me permitiram ir ao início do desenvolvimento psíquico do Ser no período fetal.

Achei-me em condição de ousar explicar outras entidades clínicas com os conhecimentos adquiridos. Seguiu-se uma série de trabalhos que começou com esse sobre o autismo e a escrita do romance no qual os personagens são vítimas do

e "formas autistas". Segundo ela, esses são elementos corporais de natureza dura ou macia respectivamente, que o recém-nascido utiliza para a autogeração de sensação sensória capaz de apaziguá-lo, devido à promoção do sentimento de descontinuidade física diante da ansiedade da separação traumática da mãe. Esse recurso, no entanto, segundo ela "parece afetar a capacidade do indivíduo (pelo apego aos mesmos) para a empatia, e, portanto, para relações com as pessoas". Ela denominou este apego de "barreira autista", elemento responsável pela etiologia do autismo psicogênico, fato que ela ilustra com material clínico seu e de supervisões ministradas.

Afirmou que "o elemento decisivo para o seu estudo do autismo psicogênico foi seu perfil pessoal marcado por elementos autísticos". Apresenta um currículo invejável. Analisou-se com Bion e fez supervisões com Rosenfeld e Meltzer. A formação em análise de crianças teve como orientadores Bick e Bowlby. Conviveu com Winnicott, Aulagnier, Chasseguet-Smirgel, McDougall, Grodstein, Balint e outros importantes psicanalistas. A vida pessoal foi marcada pela presença constante do marido, um cientista inovador na Física, que balanceava seus vôos psicanalíticos.

Talvez o seu mais significativo seguidor seja Ogden (1989b). Sistematizou a posição autista-contígua baseado em seus estudos, rica contribuição para a teoria e a técnica psicanalítica, pouco considerada pelos psicanalistas.

No presente trabalho, tenho o objetivo de acrescentar a esses estudos a contribuição da Neurobiologia sobre a memória implícita, da ultrassonografia fetal e do conceito de trauma definido no DSM-IV (1994) como um evento que promove na vítima

---

Holocausto e da atual situação entre Israel e a Palestina, que titulei como *Risa – do Holocausto à Terra Santa*, editado em 2006.

Sentia-me em condições para contestar a etiologia psicogênica do autismo, apesar da importância dada a ela por Tustin e psicanalistas de forma radical.

Esse fato ficou mais claro alguns anos depois, quando escrevi um trabalho sobre a etiologia do autismo, em 2010, recusado pela *Revista Brasileira de Psicanálise*, e que agora faz parte desse livro.

Convenci-me mais de que em pesquisa caminha-se por saltos, após períodos de maturação e elaboração psíquica e biológica, acompanhada da clínica, e por vezes seu destino fica em mãos que podem levá-lo ao vazio.

ou testemunha uma consciência de morte. O exame da percepção sensorial sob esse vértice me permitiu, com certa consistência, estender os estudos de Tustin e Ogden ao período fetal do desenvolvimento psíquico e relacioná-los com o trauma fetal, aproximando a Psicanálise da Biologia.

A psicopatologia autista, na minha experiência clínica, é responsável por um modo de exclusão do homem e da mulher que denomino (Salim, 2006) "exclusão animada", na qual seu portador se mantém ausente de si mesmo, em estado de suspensão animada, ou estado de suspensão em vida. Penso que tem relação com a denominada psicopatologia do vazio em nossa clínica atual, assim como dos pacientes atípicos, de difícil manejo clínico, do paciente psicossomático, do paciente com adição às drogas e ao álcool e outros. Difere da exclusão produzida pela psicopatologia esquizoparanoide, depressiva e edípica, na qual há um sujeito interpretante.

Apresento material clínico de pacientes jovens e adultos com personalidade autista (meu), mostrando a sintomatologia autista e meu referencial teórico-técnico psicanalítico revisado.

A barreira autista

Tive dificuldades pessoais para adentrar no estudo da obra da autora, mas ao conseguir fazê-lo, beneficiei-me como ela, ao identificar idiossincrasias autistas pessoais e enriquecer meu referencial teórico-técnico psicanalítico. Considero sua obra pouco conhecida e mesmo banalizada por psiquiatras, psicólogos e psicanalistas.

Descreve essa diversa psicopatologia em trabalhos com exuberância e delicadeza e a ilustra com inúmeros casos clínicos seus e de supervisões ministradas.

A sintomatologia autista, segundo ela, está relacionada com o apego aos "objetos autistas" e às "formas autistas" como recursos para autoapaziguar a ansiedade da separação da mãe, e seu uso pode prolongar-se pela vida do portador.

Tem proximidade com o estudo de Winnicott (1975) sobre o "objeto transicional" e a "experiência de ilusão". Por ora, basta acentuar que o objeto transicional de Winnicott, "uma bola de lã, a ponta de um cobertor ou edredom, uma palavra ou uma melodia, ou um maneirismo" é posterior, na vida do bebê, aos "objetos autistas" e às "formas autistas" descritas por ela.

Há uma similaridade na forma como ambos descrevem o apego do bebê a esses elementos. Não remetem esse apego a uma finalidade autoapaziguadora, mas sim, à satisfação libidinal de uma zona erógena. Um fato interessante é que ambos mantinham relação pessoal próxima, mas pouco citam um ao outro nos inúmeros trabalhos publicados.

Tustin escreve: "As formas primordiais (primeiras-meu) parecem emanar de ritmos e respostas autoeróticas na raiz de nossa existência".

Talvez, o mesmo que Winnicott (1975) dizia quando se referia à "elaborações imaginativas" das funções corporais.

Prossegue: "As formas autistas são formas vagas de sensação e originam-se da sensação de substâncias corporais tais como fezes liquefeitas, urina, saliva, muco, o alimento na boca e até o vômito... Seus equivalentes físicos são coisas como lama, areia, plástico, barro, água, tinta etc". Na clínica são representadas pela enurese noturna, a salivação, a sudorese, o lacrimejamento excessivo e outros. Referindo-se aos objetos autistas, diz: "A dureza é um aspecto característico da maioria dos objetos autistas... Para a criança, um objeto autista é primariamente uma sensação". Na clínica temos como resultado da barreira autista, a encoprese, os eczemas, o bruxismo, o chuchar o nariz ou a boca com o dedo, os movimentos da língua dentro da boca e sobre os lábios, e outros.

Para ela, as experiências sensoriais com os "objetos autistas" e "formas autistas" tendem a manter a criança autista e o jovem ou adulto com personalidade autista em um estado não-eu, excluídos das relações com o mundo externo e interno. Essas experiências têm ritmo e intensidade regulares, ditados instintivamente, como sucede no estado de homeostase.

É importante destacar o conceito de trauma que norteia suas concepções. Relaciona-o a "uma consciência traumática de separação física da mãe que invade suas consciências (do recémnascido ou do bebê - meu) antes que seus aparatos psíquicos estejam prontos para suportar a tensão. Você perceberá que estou enfatizando o estado organizacional do bebê, e não a idade em que o trauma ocorreu".

Ela segue, assim, o conceito de Freud (1919) de trauma, definido como um excesso de excitações sobre um ego que não consegue processá-las. O trauma, para ela, não tem relação com a noção intuitiva de morte sentida pela vítima do trauma. De novo, o apego à teoria freudiana foi um elemento impeditivo para que se aproximasse mais da Biologia, como penso ter sucedido com Winnicott.

Meus acréscimos

Anos atrás, adquiri um exemplar do livro de Tustin *Autismo e Psicose Infantil* (1972), mas acabei colocando-o de lado, pelas dificuldades encontradas para entendê-lo.

Há três anos, fiz uma primeira leitura e logo depois li *Barreiras Autistas em Pacientes Neuróticos* (1990). Minutei o conhecimento do conteúdo deles sobre a psicopatologia autista.

Achei pertinente acrescentar aos conceitos da autora os meus sobre o substrato anatômico do psiquismo inicial e os possíveis efeitos do trauma nesse período, segundo o DSM-IV (1994). Articulei contribuições da Embriologia, da Psiquiatria, da Psicologia Experimental, da Etologia, da Ultrassonografia fetal e da Neurobiologia. Publiquei alguns trabalhos a respeito (2002, 2004, 2005a, 2005b).

Essa multidisciplinaridade integrada permitiu-me uma formulação do psiquismo inicial mais embasada biologicamente por meio de sua relação com a estrutura e o desenvolvimento do sistema nervoso central e o sistema nervoso autônomo, considerados como substratos anatômicos do aparelho psíquico.

Destaco o estudo da memória implícita desenvolvido pela Neurociência (Kandel, 2003), a conceituação de trauma ligado ao medo de morte do DSM-IV e estudos de Levine (1998), psicólogo experimental, sobre as reações de defesa do homem diante da ameaça de morte, semelhantes à dos animais, ditadas pelo cérebro límbico (instintivo) e pelo neocórtex (racional). Tais reações atuam antes de processadas com a cabeça diante do perigo. O corpo chega antes da consciência.

Esse autor, fundador da escola denominada de Experiência Somática, mostra que, quando a presa opta pela imobilidade, acontecem modificações psicofisiológicas de natureza neurológica motora e sensitiva, hormonais e bioquímicas. Por exemplo, há aumento de produção de endomorfinas para aliviar a dor, caso a presa intua que será comida pelo predador. A saída dessa imobilidade ocorre quando o predador se afasta, e após o tremor físico que finaliza o trauma sofrido. Essas defesas de imobilidade e de congelamento foram descritas em pacientes por Tustin, como assinalado nas suas citações.

Meus estudos, penso, podem contribuir para entender a etiologia do autismo e das barreiras autistas ao introduzirem a interdisciplinaridade citada e a tentativa de desvelar um psiquismo pré-natal e perinatal, onde impera a noção constante de "continuidade do ser". Com poucas exceções, como Piontelli (1997), Imbasciati (2001), Wilheim (2003), Korbivcher (2006) e outros, os psicanalistas têm estado mais voltados para a vida após o parto.

Minha hipótese é que o psiquismo do ser humano ou animal começa logo após a fecundação. Instala-se o estado homeostático ou de homeostase, que pode ter relação com o Princípio de Constância citado por Freud (1920), jamais deixado de ser buscado. Tustin o intuiu quando disse: "As formas primordiais (primeiras-meu) parecem emanar de ritmos e respostas autoeróticas na raiz de nossa existência". O registro desse estado fisiológico equilibrado, regular e contínuo é feito pela memória implícita incipiente, existente desde a fecundação. Aquela se enriquece ao longo da vida com mais recursos autônomos de defesa, inclusive através do sonho, que teria a função de transformar em memória implícita ou de longa duração o aprendizado de curta duração ocorrido durante o dia (Sidarta, 2003). Também Winnicott (1975), ao dizer: "A elaboração imaginativa da função deve ser considerada existente em todos os níveis de proximidade do funcionamento físico propriamente dito... Refere-se à fantasia quase-física, àquela que está menos ao alcance da consciência".

A homeostase é o estado ótimo. Penso que uma mudança no seu equilíbrio pelo trauma gera a noção subjetiva de morte ou descontinuidade. Para tentar apaziguar o mal-estar resultante, a vítima se retrai ao estado anterior, movimento que denomino desconexão com retraimento autista, quando ocorre a desaceleração dos ritmos biológicos com a vantagem biológica de consumo menor de oxigênio pelas células, que possibilita prolongar a vida.

Estudos recentes mostram que é possível prolongar a preservação de órgãos para transplantes, mediante a diminuição do consumo de oxigênio pela célula por meio do método da suspensão animada, induzida pelo uso de sulfato de hidrogênio (Blackstone et al., 2005).

O trauma fetal pode ser produzido por infecções neonatais, malformações congênitas, distúrbios hormonais maternos, estados tóxicos, estados de anemia, traumatismos físicos anteriores ao nascimento, traumatismo do parto e outros eventos.

O recém-nascido portador de um trauma apresenta movimentos motores lentos, tem dificuldade para pegar o mamilo e outras manifestações próprias do estado de imobilidade. O caos instituído só cessa quando é adequadamente cuidado, como Winnicott (1971) acentuou com o conceito físico de *holding* e de "mãe suficientemente boa". Por razões ainda indefinidas, pode apresentar um estado oposto de excitação, irritabilidade e hiperatividade, já discutido em outro trabalho meu (Salim, 2004).

Tustin afirmava que muitas crianças autistas tinham mães dedicadas e que não se podia relacionar o autismo psicogênico a elas, deixando bem entendido, como apontei, que havia razões anteriores ao nascimento, possivelmente o trauma sentido como morte.

A importância desse trauma precoce e seus desdobramentos futuros podem ser demonstrados pelas experiências de Harlow (1958) e de Levine (1962) com macacos e ratos, que confirmam o que Tustin e Ogden mencionam em seus trabalhos: a existência de uma matriz psíquica autista inicial, à qual se pode relacionar uma psicopatologia própria com manifestações clínicas específicas, entre elas o isolamento social e a desvitalização. Já descrevi essas experiências importantes para determinar os efeitos do trauma até dez dias após o nascimento e depois desse período.

O somatório dessas contribuições talvez possa permitir a hipótese da etiologia do autismo remontar à ocorrência do trauma no período fetal ou perinatal. Sua vítima recorre à busca do estado de homeostase inicial e, com o auxílio das sensações sensórias autogeradas pelos objetos autistas e pelas formas autistas, se apazigua, embora retarde seu desenvolvimento físico e psíquico.

Como se trata de um universo sem palavras, o corpo do paciente chega a nós antes dele e nós o percebemos pelo nosso corpo antes da cognição. A linguagem extraverbal antecede a verbal e a intersubjetividade psicanalista-analisando fica ditada pela sensação sensória. Este conhecimento auxilia no diagnóstico da psicopatologia autista gerada pela matriz autista-contígua e facilita o manejo da técnica psicanalítica com esses pacientes.

Por isso tenho considerado a contratransferência de fundamental importância para a identificação dessa psicopatologia. A forma lenta ou apressada, baixa ou alta, da fala do paciente é tão importante quanto seu conteúdo e promove respostas físicas no analista. Por exemplo, sonolência, dificuldade de ouvi-lo, mal-estar físico, mais ou menos relaxamento físico na cadeira e outras. O conteúdo da fala desse paciente é marcado pela desesperança, pelo relato repetido de situações vividas, pela obsessão de encontrar o significado correto das palavras, pelo enquadramento com que nos submete aos seus objetos autistas e formas autistas, e a seu modo de ser que não permite mudanças ou interferências e apego ao nosso *setting*. Intensificam essas reações no psicanalista a postura física desse paciente, com movimentos musculares repetidos das pernas e das mãos, ora lentos ora rápidos, seu olhar fixo ou desviado, a busca de contato com almofadas ou livros existentes no consultório e outros. Talvez o sonho seja o único instrumento para o reconhecimento da ocorrência do trauma precoce. Em alguns casos, chega-se à sua identificação por intermédio do relato da mãe ou de outros familiares do paciente.

Em geral esses pacientes apresentam dificuldades para se comunicar e vivem em contínuo medo de deixarem de ser, de se escoarem (Rosenfeld, 1980), de se desfazerem e de viverem desincorporados, como um não-eu, conforme ilustrado por Tustin.

Essa psicopatologia é reunida por Gilbert (2005) em três áreas distintas: da sociabilidade, da linguagem e da motricidade. O autista opta pelo isolamento social, habita um mundo vazio, não fala ou só reproduz o que lhe é falado e repete movimentos estereotipados idiossincráticos. Vive em um mundo quase inanimado, congelado, sem sentimentos, e tem como característica central uma organização idiossincrática, com a qual apresenta extrema habilidade em gerir questões intelectuais, motoras e artísticas, mas encerra enorme dificuldade para o aprendizado de outras tarefas diferentes do seu ordenamento ditado pela memória implícita.

Material clínico com comentários

Caso A

L. estava com quatorze anos quando foi hospitalizada porque agredia fisicamente a mãe, fugia de casa, ateava fogo em objetos caseiros e tentou autoextermínio com ingestão de psicotrópicos. Alternava essas ações violentas com períodos de apatia, sonolência e sintomas de anorexia nervosa. Nos estudos, encontrava-se atrasada em relação à sua idade cronológica, fato com o qual a mãe não concordava. Ao exame no hospital, verifiquei que não havia alterações cognitivas, estava emagrecida, tinha o olhar desviado e movimentos ritmados de enrolar os cabelos com o dedo e balanceios do corpo e das pernas. Disse-me que havia sido maltratada pela mãe desde pequena e jurou que infernizaria sua vida. Ainda no hospital, constatei pela papeleta médica os diagnósticos de esquizofrenia ou de transtorno do humor bipolar. Os psiquiatras não conseguiam determinar o diagnóstico nem a prescrição medicamentosa, sempre mudada.

Meu diagnóstico foi de psicopatologia autista associada com hiperatividade alternada com imobilidade. Após alguns encontros, senti em L. confiança em mim e solicitei a alta para início da análise em consultório.

As primeiras sessões foram difíceis. Fazia questão da presença da mãe para me convencer de como sua mãe não a entendia. Com fina sensibilidade, obrigava-a a dizer como ela a percebia. Nestas ocasiões, a mãe se confundia. L. dizia-me, então, que sua mãe nunca a havia entendido ou chorado por ela.

Em sessão a sós comigo, ficou violenta ao perceber-me distante. Tentou agarrar-me pelo pescoço. Eu a contive fisicamente e lhe disse que, de fato, havia-me distanciado dela enquanto falava. Minha confissão a serenou e pude dizer-lhe que minha desatenção havia sido transitória e que encontraria a explicação para não se repetir.

Mais dócil comigo, tiveram início os movimentos para o isolamento e a imobilidade. Colava a almofada do divã a si, como uma forma autista de apaziguamento, e ficava quieta quase toda a sessão ou então se dirigia ao banheiro do consultório e lá permanecia de porta fechada. No início fiquei apreensivo, mas compreendi depois essa ação como desejo de ficar só, atendendo à sua demanda para a retirada autista, causada provavelmente por um olhar ou uma fala minha sem sintonia com ela. Contou-me, a propósito, sobre um irresistível desejo de ficar na cama o dia todo e descreveu sonhos em que fazia força para mover os braços e as pernas e não conseguia. Eram elementos indicativos de seu imobilismo.

Em outra sessão, L. começou a sentir dor abdominal enquanto deitada no divã, que se foi acentuando e ela desfaleceu. Esses episódios vinham acontecendo fora do consultório com frequência e eram interpretados pelos familiares como encenações pessoais para impressionar. Mantive-me calmo. Entendi o desfalecimento como resultado de um estado de insuficiência física para com suas ansiedades. Ela se desfazia. Restava-me segurar-lhe as mãos e dar-lhe tempo para se recuperar.

Em outra ocasião, L. fez o relato de enurese noturna e de sudorese intensa, formas autistas por envolver elementos corporais macios tais como a urina e o suor, como agentes produtores de experiências sensoriais sobre a pele, tal como a almofada no divã.

Depois mencionou a presença de alucinações auditivas que se referiam a pessoas perseguindo-a. Eu lhe disse que, na verdade, ela queria ser encontrada, tal o seu estado de imobilidade e desamparo.

Ao fim de quatro meses, L. começou a dar mostras de mais estabilidade e de confiança em sua capacidade para se compreender. Passou a mostrar cultura brilhante para sua idade cronológica. Conhecia a mitologia egípcia, a mitologia grega, além de conhecimentos da língua inglesa, de cinema e de literatura. Contudo, relatou sua insuficiência para o aprendizado na escola, fato que provocava constantes atritos entre ela e a mãe. Eu a compreendia, porque o aprendizado da criança com barreiras autistas só se desenvolve dentro de uma linha estabelecida por ela mesma. Há muita dificuldade para aprender o que lhe é ensinado por terceiros. Qualquer mudança na forma de ser ou de como ordena os objetos pode ser sentida como fatal. Assim, fracassou quando tentou entrar para um coral, para fazer ginástica olímpica e hipismo, todas tentativas de se revitalizar, como aquelas relacionadas ao atear fogo em objetos de casa.

Foi preciso fazer com que a mãe compreendesse que L. tinha arranjos próprios e a importância de respeitá-los. Era nessas ocasiões que L. gritava e agredia para se sentir viva e se manter viva.

Em sessão mais atual, narrou-me seu entendimento sobre sua agressividade e sua tendência para a imobilidade e a insuficiência. Disse-me que se identificava com uma personagem da Internet, cujo poder aumentava por meio de pontos que ia somando em um jogo. Essa identificação a mantinha mais animada, mas compreendeu que precisava agir de modo mais moderado, porque não se aguentaria na exaltação por toda a vida. L. entendeu tais movimentos antagônicos como a razão para seus médicos a estigmatizarem como paciente bipolar ou esquizofrênica. Sua capacidade para esse *insight* mostrava que estávamos no caminho certo.

Minha compreensão de que L. apresentava uma psicopatologia autista foi confirmada pelo relato da mãe sobre traumas precoces, como gestação conturbada pelas brigas com o esposo, do qual veio a se separar, o parto demorado e a insuficiência de L. para pegar o mamilo, apesar de sua insistência. Nasceu com os pés tortos e precisou do uso precoce de bota corretiva, com a qual se sentia bastante incomodada. Seus sintomas eram respostas biológicas ao trauma, associados a uma formação superegoica severa pelo tratamento sempre corretivo da mãe. A angústia básica de L. era resultante do medo de morrer ou de ficar louca, e de sua insuficiência para corresponder às cobranças da mãe e sua competência para atividades próprias de sua idade. Meu trabalho tem consistido em lhe proporcionar um *setting* confiável e um trabalho interpretativo sobre suas exigências superegoicas. A paciente está em análise há três anos com duas sessões semanais.

Caso B

Trata-se de uma menina autista de seis anos, personagem do filme *O enigma das cartas*. Este começa com a tomada da cena do caule de uma árvore antiga, com destaque para a casca espessa. Logo surgem vários répteis andando ao seu redor. Tal começo é sugestivo da gênese da vida e da filogênese do autismo, isto é, de suas raízes primitivas.

Havia perdido o pai recentemente em acidente, quando se dedicava a estudos antropológicos em cidade mexicana. De volta à escola na América, começa a apresentar comportamento de isolamento dos colegas. Dirigia-se a uma árvore, na qual subia para evitar o contato com colegas, exibindo grande habilidade para se equilibrar, talvez relacionada à queda fatal do pai. O psiquiatra da escola é notificado desse comportamento repetitivo. Diagnostica-a como autista e dirige-se à sua casa para comunicar o diagnóstico à mãe. Ao chegar, participa da cena em que a menina está no telhado da casa próximo à calha, onde foi apanhar a bola atirada pelo irmão. Ao vê-la, todos temem por ela. A mãe aflita busca aproximar-se pela janela do sótão. A filha a vê e começa a gritar de forma desesperada e repetitiva. O medo de todos aumenta, porque não entendem os gritos e temem sua queda. O psiquiatra pergunta aos presentes se não estão notando algo diferente, e o irmão atina com o fato de que a mãe está usando o boné com a aba para trás. Quando o recoloca na posição certa, por indicação do psiquiatra, a menina para de gritar.

Nessa mesma cena, o cineasta exibe a fixação do olhar da menina na costura do gomo de uma bola, destacando-a. Escrevi (Salim, 2002) um trabalho no qual descrevo vários procedimentos sintomáticos e reflexos por parte de pessoas em busca de apaziguamento para a angústia de morte, que denominei de *Remendos para uma superfície sensorial*. Cito os sintomas de ficarem enrolando os cabelos continuamente, o incessante olhar e falar, a manipulação obsessiva de terços, contas e outros.

Há outra cena na qual o irmão a procura no quarto, onde se isolara. Inadvertidamente, ele esbarra num cubo entre outros dois.

Esse cai e ela começa a gritar do mesmo modo como fizera antes na calha do telhado. O irmão aflige-se, sem saber como serená-la, até que recoloca, por acaso, o cubo no ordenamento de origem.

O autista ou o paciente com barreira autista sente como vital manter-se física e psiquicamente intocável, com tudo do modo como ordenou. Essa idiossincrasia remete à delicadeza e à sintonia necessária do analista para formular a interpretação, cuidando para que a mesma não seja traumática para o paciente.

O nome do filme tem origem no engenhoso arranjo feito pela menina com as cartas de baralho equilibradas umas nas pontas das outras, de forma a constituir uma espiral ascendente, que pode ser entendido como um esforço para se sentir em equilíbrio psíquico.

A essa altura do filme, ela já está recebendo terapia na escola, mediante exercícios nos quais é estimulada a fazer contato pessoal e verbal com o psiquiatra, que atribui ao seu autismo uma natureza neurológica. Ele se impacienta diante da ausência de resposta da menina que, por sua vez, se irrita e fica agressiva com ele. A mãe discorda da opinião do psiquiatra, que atribui o comportamento da filha a um fator neurológico e com veemência o atribui ao trauma da perda do pai. Está convencida de que a ajudará com uma sintonia afetiva. Esforça-se para entender a razão da espiral das cartas, quando a menina mostra de novo grande destreza para o equilíbrio. Tenta construir espiral semelhante à da filha com placas de material pesado e, ao terminá-la, a menina responde à tentativa da mãe de compreendê-la com o retorno à normalidade.

Essa espiral ascendente pode ser entendida como representação materializada de seu esforço para deixar a posição autista e manter seu equilíbrio psíquico, ameaçado pela desconexão. Há um esforço que, por vezes, ocorre sob a forma da hiperatividade presente em alguns pacientes. Tem recebido o nome de Transtorno de hiperatividade ou de Transtorno de atenção, segundo o DSM-IV (1994).

Caso C

M. é um analisando adulto, filho de mãe desvitalizada, de olhos chupados e fundos, e de pai epiléptico que assustava toda a família com crises convulsivas e gritos. Havia grande carência de recursos materiais. Lembra-se com ênfase do episódio aos dois anos de idade, quando só dormia depois que cobria a cabeça e o corpo todo com uma colcha, comportamento que se prolongou até os sete anos. A colcha tinha a função de uma segunda pele (Bick, 1968, 1986), importante contribuição para o entendimento da psicopatologia autista. Tem a ver com o sentimento de falta de proteção oriundo do desamparo inicial e com a perda do sentimento de coesão física e psíquica, como certos pacientes que se trancam e fazem do seu quarto fechado a segunda pele, pessoas que se fecham em convicções, pessoas que ouvem obsessivamente os noticiários da televisão e dos jornais, pessoas que usam várias roupas em dias de calor e outros. Um verdadeiro manto psíquico.

M. iniciou a análise com quatro sessões semanais, devido ao exibicionismo compulsivo acompanhado de outros desvios sexuais pelos quais fora, algumas vezes, detido pela polícia. Relatava mal-estar físico generalizado com ideias de autoextermínio, desespero, sensação de vazio interno inexplicável, visão distorcida do corpo e isolamento acentuado das pessoas. Esse paciente despertava-me sonolência durante as sessões no período inicial. Vivia sozinho no pequeno apartamento para onde convidava homens que conhecia na rua para fins de atividades sexuais.

Depois de oito anos de análise, passou a conviver com sua atual mulher e a filha desta, adotada com afetividade. Teve mais duas filhas e conseguiu fazer curso superior de Economia, que veio ajudá-lo economicamente.

Embora apresentasse esses progressos, continuavam as queixas iniciais. Interrompeu a análise pelo tanto que ela se tornara difícil para nós, envolvidos que estávamos na repetição e na monotonia que se foi acentuando e que eu não conseguia explicar. Até então, meu diagnóstico incerto era de psicopatologia narcísea, ora esquizoparanoide, ora depressiva e ora edípica. M. era tratado como tal.

Ficou afastado por quatro anos e voltou a me procurar devido a seu estado de insuficiência física e psíquica agravado, depois de tentar tratamento com outros dois colegas. Não quis mais o divã, nem as quatro sessões semanais. Propôs duas sessões e concordei com ele. Estava convicto de que o trabalho analítico tem mais a ver com a pessoa do analista e seu referencial teórico-técnico do que com o uso do divã e o número de sessões.

Hoje, três anos após o reinício da análise, apresenta resultado terapêutico significativo devido a meu conhecimento da psicopatologia autista. Permitiu-me compreender sua monotonia, sua insuficiência, os prolongados silêncios durante as sessões, a fala compassada e precisa nos detalhes, os olhos desviados dos meus, os gestos desvitalizados, os movimentos constantes da língua na boca, a imobilidade física e psíquica, o relato repetido das queixas de mal-estar físico e a sensação de vazio interno acompanhado de uma tristeza seca, seus desvios sexuais e seus sintomas psicossomáticos, que podiam ser entendidos como remendos para as feridas produzidas pelos inúmeros traumas vividos.

Atualmente convive melhor com a companheira sem a subestimar. É um pai compreensivo e um avô consciencioso. Está melhor consigo mesmo e apresenta considerável diminuição da sintomatologia verificada desde o primeiro tratamento. Não mais demonstra ausência de si mesmo e do outro. Suas sessões têm ainda o silêncio do início do tratamento, mas não é o silêncio desvitalizado; tornaram-se interessantes como se estivéssemos usando lentes de aumento para ver detalhes simples, mas de grande significação para sua vida pessoal. Mostrou-se conhecedor da literatura clássica.

Caso D

R. está com 43 anos e em análise há treze anos. Procurou-me devido ao desassossego produzido por vozes que o ameaçavam e o subestimavam. Admitia que fossem vozes de espíritos que vinham de fora, ordenadas pelo pai da ex-noiva como represália pelo término do noivado. Vivia dentro do quarto, de onde só saía para vir à análise. Depois de dois anos de tratamento, com duas sessões semanais, aceitou minha interpretação de que eram vozes emanadas do seu interior, fato que mudou o rumo da análise. Foi aposentado com o diagnóstico de esquizofrenia.

Hoje, ainda ouve expressões ou palavras que surgem de forma inesperada com conteúdos de advertência ou de desmerecimento, mais espaçadas e atenuadas em intensidade, sobre as quais fala nas sessões em busca de entendimento. Recuperou o convívio com os familiares, embora passe a maior parte do tempo dentro do quarto, ao qual ninguém tem acesso. Esse funciona como sua segunda pele (Bick, 1986). Deve ser mantido limpo e arrumado só por ele, de acordo com seu ordenamento. Nunca faltou às sessões. Vem para elas dirigindo seu carro e controla adequadamente o dinheiro da aposentadoria e do pagamento das sessões.

No início era difícil atendê-lo devido ao imobilismo e à lentidão. Provocava-me sonolência e, em algumas sessões, isto era percebido por ele. Sua fala desconexa e enigmática transmitia conteúdo segmentado e confuso, difícil de entender. Possuía modulação lenta.

Tempos depois, com meu novo referencial teórico e técnico, comecei a entendê-lo. Ficava com ele de forma mais ativa, fato que contribuiu para uma recuperação clínica surpreendente.

Observei que, quando interferia na sua fala sem sintonia, reagia de forma irritada. Fui aprendendo que era melhor deixá-lo solto para compreender as vozes e as expressões auditivas que ouvia. Ele tinha um jeito próprio de se organizar psiquicamente, como a menina do filme com os cubos. Cada palavra, ainda hoje, deve ter significado preciso. Desde esse entendimento, permito-me ficar sem compreender seu discurso, agora mais encadeado, sem me sentir esvaziado, insuficiente e sonolento. O mesmo acontece quando vai estacionar o carro. Só o estaciona do lado direito da rua, obrigando-o a seguidas voltas pelos quarteirões vizinhos e caminhadas extenuantes devido à irregularidade da topografia das mesmas. Quando lhe disse que havia um estacionamento barato e próximo ao consultório, advertiu-me para não interferir nessa questão.

Ainda hoje, opta pelo isolamento em casa. Nas vindas ao consultório, espera para tomar o elevador sozinho e, se encontra alguém na sala de espera, fica de pé no corredor.

Bastante significativo é o modo positivo como hoje reage às vozes que o mandam afastar-se de mim e do tratamento, devido ao entendimento das melhoras e de que tem comigo a chance de se refazer pela confiança estabelecida, basicamente por meio da regularidade do *setting* que inclui a minha pessoa, a minha fala, o meu olhar.

Em algumas sessões, relata presença de cheiros e sons dentro e fora do consultório e compreendo isso como forma de se sentir mais coeso pela percepção sensória sentida.

Considerações finais

Esses estudos não constam do ensino da psicopatologia autista nos institutos de ensino da Psicanálise nos tempos atuais.

Minha experiência clínica atual indica que esse paciente é mais comum em nosso consultório do que se pensa. Habitualmente são tratados com referencial teórico oriundo da posição depressiva, esquizoparanoide e edípica, com resultados iatrogênicos, porque se trata de pacientes portadores de grave insuficiência física e psíquica pelas razões expostas nesse trabalho, isto pela ausência de diagnóstico clínico. O tipo de ansiedade, o tipo de defesa, o tipo de relação transferência-contratransferência, a incapacidade para o simbolismo e outras condições são diferentes. São características de um período em que não existia um ego com capacidade cognitiva. Como dito, seu quadro clínico é predominantemente gerado e direcionado por um ego biológico subordinado à memória implícita e às sensações sensórias.

Segundo Kandel (2003), Renik (2002) e Andrade (2004), a Psicanálise necessita aproximar-se da Neurobiologia e seus ramos, assim como de outras áreas das ciências humanas, para o entendimento mais científico do substrato anatômico e do funcionamento do aparelho mental proposto por Freud.

Essa proposta não significa que a Psicanálise e seus conceitos teóricos e técnicos clássicos devam ser considerados ultrapassados para dar lugar a outros métodos de tratamento considerados mais científicos, como as terapias cognitivas, por exemplo. Somente o psicanalista pode penetrar no âmago das formas autistas e dos objetos autistas, que propiciam para o paciente descrito, o *setting* regular, dotado do elemento afetivo, que lhe permite retomar seu processo de maturação biológica e psíquica. Os tratamentos psiquiátricos e psicológicos, na minha observação clínica, têm sido desastrosos para esses pacientes, principalmente se conduzidos sem sintonia afetiva.

O despertar de Tustin para o estudo do autismo foi lento e povoado de dúvidas. Seguramente, deverá acontecer o mesmo com aqueles que se dispuserem a estudá-la.

Concluo pela etiologia neurobiológica do autismo com sintomas psíquicos e biológicos, porém seu tratamento é psicológico. Só o *setting* conduzido com compreensão da psicopatologia e com afetividade pode permitir a finalização do trauma inicial e o abandono do retraimento autista para a retomada dos processos cognitivos. Outras técnicas são alternativas e de resposta efêmera.

É necessário considerar a predisposição para o autismo. Essa é dada pela personalidade autista, que tem a ver com os pacientes de Tustin com barreiras autistas, mas há elementos pra acrescentar, objeto de um futuro trabalho.

Este trabalho é um incentivo para esse início.

Capítulo XI

Etiologia do sintoma psicossomático: relação com a reincidência traumática e o retraimento autista (2007a) *

A etiologia do sintoma psicossomático (SP) continua indefinida, apesar de inúmeros estudos de ciências afins.

Apresento a hipótese de que o sintoma psicossomático se desenvolve em paciente portador de personalidade autista como predisposição, isto é, pacientes que tenham "barreiras autistas" - apego às "formas autistas" e aos "objetos autistas", conforme Tustin.

---

* Trabalho publicado pela *Revista de Psiquiatria do Rio Grande do Sul*. 2007. 29(22 mai/ago): 233-241.

Nota explicativa

Durante muitos anos, coordenei na Faculdade de Medicina da Universidade Federal de Minas Gerais (FMUFMG) a disciplina de Medicina Psicossomática. Embora me tenha afastado do movimento mineiro para sua implantação, fui o primeiro a iniciar um intercâmbio entre Minas e o Brasil. Em torno de 1970, a Medicina Psicossomática brasileira tinha como expoentes alguns psicanalistas brasileiros. A Psicanálise era a ciência que mais se interessava por esse estudo.

Eu os conhecia por meio da minha relação com a Associação Brasileira de Psicanálise (ABP). Como professor da FMUFMG, promovi a vinda de alguns deles à Belo Horizonte para realização de jornadas e simpósios. Depois, devido ao acúmulo de atividades e a meu empenho em criar aqui um Núcleo de Psicanálise associado à ABP, um trabalho que durou 30 anos, cujos passos estão relatados em trabalho publicado (2010), e a outra de docente da FMUFMG, onde exercia na época cargos acadêmicos administrativos importantes, fui levado a deixar de lado esse movimento mineiro.

Contudo, como coordenador da Disciplina de Medicina Psicossomática, até minha aposentadoria em 1993, fui um entusiasmado com seu estudo. Desenvolvi um longo trabalho acadêmico com alunos em supervisão, onde ficava explícita a importância da relação médico-paciente para o êxito dos tratamentos.

A etiologia do sintoma psicossomático permanecia desconhecida, embora predominasse a explicação psicanalítica da repressão dos desejos sexuais e ou a falta de possibilidade do paciente simbolizar e pôr em palavras o conflito subjacente. A maioria dos psicanalistas defendia uma falha precoce do desenvolvimento para explicá-

A soma do registro das experiências sensoriais produzidas por esses elementos - formas autistas e objetos autistas em contato com superfícies sensoriais do próprio feto pela memória implícita incipiente ou em desenvolvimento, cuja sede é a amígdala cerebral localizada no hipocampo, funciona como um ego biológico sem sujeito interpretante, isto é, que tenha as funções cognitivas do lobo frontal cortical.

Essa produção de experiências sensoriais é ativada por um trauma e está voltada para o apaziguamento da angústia de morte presente. O trauma provoca também o retraimento biológico para tentar preservar a vida.

O feto ou recém-nascido que permanece apegado a esses mecanismos desenvolvem a personalidade autista, isto é, apresentam traços autistas desde o nascimento, como a lentidão para

---

los, assim como ocorria com as psicoses. Eu me mantinha sem posição assumida, apesar de minha longa formação psicanalítica poder influir-me a favor dessa hipótese.

Com meus estudos posteriores, foi-se consolidando a convicção de que algumas entidades clínicas tinham relação com o conceito biológico do trauma, a desconexão e o retraimento autista.

Este é o terceiro trabalho publicado nessa linha, antecedido pelos trabalhos sobre a psicose e o autismo.

Foi um amadurecimento lento, que começou com a especulação de que sem a mãe ou um curador o recém-nascido não sobrevive. O feto é um ser vivo com um desenvolvimento determinado pela filogênese, mas que tem uma ontogênese, na qual é fundamental a noção de estar existindo, de quem é e onde está para o seu desenvolvimento. É procedente pensar que o mesmo deva ser assistido em momentos de vida caóticos pela mãe ou curador ou, na ausência destes, por ele mesmo, por meio de um aprendizado filogenético intuitivo e reflexo, que consiste em fazer que seu próprio corpo se torne uma "mãe suficientemente boa" segundo Winnicott (1978), depois da consideração do retraimento autista e do uso dos objetos autistas e das formas autistas de Tustin, embora ela não os tenha remetido à vida fetal, mas de que a ultrassonografia fetal não deixa dúvidas.

Esta é a hipótese que vou desenvolver nesse trabalho para explicar a etiologia do sintoma psicossomático, sem ter elementos para afirmar por que um bebê ou um adulto desenvolve uma encoprese, e outro, uma salivação intensa. Talvez tenha ligação com a embriogênese e a genética.

Convicto de que a área de estudos entre o psíquico e o soma é intermediária entre a Psicanálise e a Psiquiatria, ousei enviar esse trabalho para a Revista Brasileira de Psiquiatria do Rio Grande do Sul, reconhecidamente aberta para psiquiatras e psicanalistas, conforme suas origens. O artigo foi aceito após algumas revisões sugeridas pelos mesmos, mas sem afetar a ideia central do trabalho.

pegar o seio, dirigir os olhos para a mãe, lentidão motora e outros.

Diante de novo trauma com a mesma sensação de descontinuidade física, recolhe-se ao estado de homeostase, como se já soubesse o caminho da sobrevivência e aí fica hospedado. Dessa forma, o corpo se converte em uma "mãe suficientemente boa" (Winnicott, 1978).

Desse modo, entendo o SP como um concomitante fisiológico dos recursos biológicos para promover o autoapaziguamento da angústia de morte produzida por um trauma. Não é uma representação de conflito que possa vir a ser verbalizada e que tenha relação com elementos sexuais ou destrutivos reprimidos. Inclui a angústia de morte, de noção de descontinuidade física.

Os fenômenos psicossomáticos escondem, paradoxalmente, uma luta pela vida e especialmente pela sobrevivência psíquica do paciente, segundo MacDougall (1989).

Revisão teórica da etiologia do SP

A descoberta de Freud da vida inconsciente e sua relação com a psicopatologia das neuroses, a formação do sonho e com o fenômeno de transferência presente na relação analista/analisando, estenderam-se de forma gratuita à etiologia do SP, como se o mesmo fosse também um representante simbólico de conteúdo sexual reprimido.

Na esteira da correção desse extremismo, Ferenczi (1926) cunhou a expressão "organo-neurose" para diferenciar a entidade psicossomática da neurose histérica.

Mais tarde Cannon (1939) demonstrou que estados emocionais vinculados a sentimentos reprimidos, como o ódio, a culpa, a reprovação, a dependência, a inveja e outros, tinham concomitantes fisiológicos específicos, dependendo de cada um desses sentimentos.

Nessa mesma linha, Dunbar (1947) sustentou a hipótese de que "cada doença teria um perfil psicológico próprio determinado por experiências infantis traumáticas". Descreveu a "personalidade traumatofílica, isto é, seu portador repete em suas vidas situações traumáticas acontecidas sem consciência desse fato".

Como será salientada adiante, essa relação com o trauma tem a ver com o esboço teórico apresentado pelo autor para propor sua teoria sobre a etiologia do SP e a teoria da fragilidade do órgão.

Depois a escola de Alexander (1962) tornou-se marco nessa evolução. Para ele, o SP "seria uma resposta fisiológica ao estado de tensão emocional crônica, mantida por processos inconscientes presididas pelo sistema nervoso autônomo; não eram representantes simbólicos de conteúdo inconsciente sexual reprimido".

Como ilustração, a úlcera duodenal era resultante da antítese entre as tendências para a regressão e a necessidade de superá-la. Decorria da hiperatividade fisiológica determinada por aquele sistema. As vias parassimpáticas eram relacionadas com a dependência e as vias simpáticas com as tendências de luta e competição. Seus estudos levaram-no a concluir que os transtornos psicofisiológicos constituíam respostas padrão a determinadas situações de conflito dentro do sujeito. Daí desenvolveu a "teoria da especificidade dos conflitos".

Os estudos destes três últimos autores aproximaram a etiologia desse sintoma ao sistema nervoso autônomo. Infelizmente, os analistas, a partir da metade do século XX, foram desvinculando a Psicanálise da Biologia (Kandel, 2003) em troca da valorização das teorias das relações objetais e da intersubjetividade. O próprio Freud fez o mesmo ao insistir nas bases biológicas da Psicanálise, mas infelizmente referiu-se apenas aos aspectos inerentes à força dos instintos.

Com exceção de Winnicott (1978), talvez pela proximidade com a Pediatria, e Tustin (1900) com os estudos sobre a experiência física sensorial, os psicanalistas têm recaído no entendimento do SP, como uma linguagem corporal para expressar conflitos reprimidos, isto é, um auxiliar para a expressão verbal limitada nesses pacientes. Desconhecem, assim, que o universo psicossomático é um universo sem palavras e sem símbolos.

Entre os psicanalistas atuais, McDougall (1989), embora de acordo com essa conceituação biológica, se mostra indefinida, por vezes interpretando o SP como "regressão a um erotismo infantil inicial".

Cita-se, ainda, Marty P., M' Uzan M (1994) com o conceito de "pensamento operatório". Descrevem o SP como concomitante fisiológico, sem abandonar de todo o vértice simbólico. Essa questão continua reincidente.

Penso que existe sempre a angústia de morte ou de loucura nesse paciente, afirmação abonada por McDougall (1989), que escreveu: "Os fenômenos psicossomáticos escondem, paradoxalmente, uma luta pela vida, e especialmente pela sobrevivência psíquica do ser".

A experiências sensoriais e a memória implícita

A percepção sensorial tem significado marcante desde a vida fetal. Embora Winnicott (1988) não estendesse seus estudos ao período fetal do desenvolvimento psíquico, deixou claro sua importância nos seus trabalhos. Afirmou que "a base da psique é o soma e, em termos de evolução, o soma foi o primeiro a chegar. A psique começa como uma elaboração imaginativa das funções somáticas (...). A elaboração imaginativa da função deve ser considerada existente em todos os níveis de proximidade do funcionamento físico propriamente dito (...), refere-se à fantasia quase-física, àquela que está menos ao alcance da consciência".

Tustin (1990) aproximou-se dessa abordagem do psiquismo fetal. Embora não a explicitasse ou a sistematizasse, explicitou a importância da geração autossensorial pelo feto, como discriminado em recente artigo meu (Salim, 2006).

Posteriormente Ogden (1989b) desenvolveu o conceito de uma posição autista-contígua, anterior à posição esquizo-paranoide, deixando implícita sua continuidade desde a vida fetal. Segundo ele, a matriz psíquica dessa posição gera a psicopatologia psicótica, como ilustrou com casos clínicos.

Essas contribuições e outras da Neurobiologia validam a possibilidade da sensação sensorial constituir nosso primeiro registro de um elemento biológico, e nunca psíquico, pela incipiente memória implícita fetal. Sabemos, por experiência própria, que a percepção sensorial não é uma presença inerte, como quando apertamos as chaves do carro na palma da mão. Acalmamo-nos.

Responde pela noção subjetiva do existir do feto e do recém-nascido, de quem sou e onde estou.

A memória implícita tem a função básica de regulamentar, de forma inata e reflexa, elementos e procedimentos responsáveis pela preservação da sobrevivência e de autoapaziguamento. Daí ser designada também como memória de procedimento ou de longo prazo. Funciona independente da consciência, a exemplo do inconsciente freudiano.

Talvez essa memória tenha relação com o conceito de Freud (1923b) de ego corporal, conceito que ele não desenvolveu. Apenas mencionou: "O ego é antes de tudo corporal". Em nota de rodapé, acrescentada em 1927, continua ele: "Isto é, o ego em última análise deriva das sensações corporais, principalmente das que se originam da superfície do corpo (a pele - meu)". Poder-se-ia dizer que o ego nesse período inicial é um ego biológico.

A maturação do sistema nervoso central do feto, ditada pela embriologia e a genética, nesse período, não o torna hábil para capacidades cognitivas. A aquisição destas começa após os primeiros dez dias de vida pós-natal, segundo Harlow (1958) e Levine (1962), com as experiências em macacos e ratos recém-nascidos. Segundo esses autores, há diferença de comportamento desses animais, se separados das matrizes logo após o nascimento, ou se separados depois de 10 dias do nascimento. No primeiro caso, quando ambos são colocados em contato com as matrizes, após 6 meses de separação, mostram-se estranhos, procuram o isolamento e estão desvitalizados. Esse estado é irreversível e pode ser observado, tempos depois, com os dois tipos de animais. O mesmo não ocorre com o segundo grupo. Logo se socializam e recuperam sua vitalidade. São experiências que mostram os resultados do trauma e a existência de duas matrizes psíquicas, diferenciação importante para a psicopatologia. Pode-se afirmar que há uma matriz autista presidida pelo ego biológico e outra quando o recém-nascido adquire um ego psíquico com capacidade para distinguir entre o eu e o não eu, entre sujeito e objeto.

Para detalhar e ilustrar clinicamente a importância da experiências sensoriais e da memória implícita na etiologia do SP, cito o sintoma da enurese, da sudorese e da salivação intensa.

A enurese noturna é frequente na clínica e é objeto de extensa pesquisa na Pediatria, na Psiquiatria e na Psicanálise. É uma manifestação psicossomática de etiologia desconhecida e de tratamento não específico. Traz para a criança e para aqueles que a cuidam incômodos e embaraços que, invariavelmente, conduzem a dificuldades no relacionamento familiar e social, muitas vezes, sob forma de traumas físicos e psíquicos, com sequelas irreversíveis na vida adulta. O portador fica indelevelmente marcado por traumas. Costuma ser interpretada psicanaliticamente como representante simbólico de uma excitação erótica reprimida ou de ódio reprimido voltado para a mãe ou substituto, impedido de ser verbalizado.

A sudorese intensa também é ligada a um elemento líquido, no caso, o suor. Normalmente é atribuída à ansiedade edípica (ansiedade de castração). Acontece em situações diversas, como viagens de avião, entrevista para admissão em emprego ou exposição em público.

A salivação, embora menos frequente, costuma passar despercebida, embora muito incômoda para o portador, podendo produzir alterações na dentição e na mucosa bucal.

Proponho a hipótese de que esses sintomas são concomitantes biológicos instintivos de experiências sensoriais autogeradas por meio da urina e do suor sobre a pele, e da salivação sobre a mucosa bucal com finalidade, em muitos casos paradoxal, de autoapaziguamento.

Assemelha-se aos eczemas, que obrigam os portadores a se coçarem continuamente. São experiências que conferem ao portador a noção de estar existindo, de coesão física e psíquica, que pode ser testada por todos nós, quando prensamos uma caneta entre os dentes.

Posso intuir que, no início, logo após a fecundação, as percepções sensoriais do feto são aquelas ligadas aos processos vitais de anabolismo e catabolismo celular, assim como aos batimentos cardíacos, os movimentos intestinais e as funções respiratórias da mãe, que têm o mesmo ritmo e intensidade.

Mais tarde, com a maturação biológica do feto, este se torna capaz de autogerar sensações sensoriais com o auxílio de elementos corporais próprios com suas superfícies sensoriais.

Tustin (1900) descreveu a importância dessas experiências produzidas pelo bebê ou pelo recém-nascido, utilizando-se de elementos macios e duros do próprio corpo sobre as superfícies sensórias, principalmente a pele. Entre os primeiros, estão a saliva, a urina, os vômitos, as fezes liquefeitas, o muco das vias aéreas, o suor e a lágrima, que denominou de "formas autistas". Entre os segundos, estão as fezes, a língua, os dedos, as mãos, os pés e os punhos, que denominou de "objetos autistas". A ultrassonografia fetal mostra de forma bastante evidente o feto com as mãos, os dedos e a língua na boca, assim como movimentos de tocar com as mãos e os dedos o órgão genital, os lóbulos das orelhas e outras partes do corpo. Se estivermos atentos, podemos observar que são movimentos executados com o mesmo ritmo e intensidade. Têm a mesma regularidade dos movimentos autonômicos vitais do feto e da mãe. Essas ações reflexas de autogeração de percepções sensórias persistem na vida pós-natal até a senilidade. Aparecem sob a forma de morder ou tocar os lábios e a boca com a língua, dedos e outros objetos duros ou macios. Também o salivar, o roer as unhas, o apertar objetos duros com a mão, o balanceio cadenciado do corpo e das pernas. Outros representantes na vida adulta são os toques repetidos das contas de um terço com os dedos, os banhos demorados, o enrolar os cabelos da cabeça com os dedos, e outros tantos. É costume universal do povo islâmico o uso do *masbarah*, um cordão de contas de material duro, ajeitadas de forma semelhante às contas do terço dos católicos. Seus usuários ficam tocando as contas com as pontas dos dedos da mão para se serenarem por longo tempo no dia. Esses arranjos acompanham o indivíduo pela vida toda e foram denominados de "barreiras autistas" por Tustin. Irão constituir a personalidade autista, se sua presença é muito marcante.

Os objetos autistas e formas autistas são anteriores aos objetos transicionais de Winnicott (1975). Segundo ele, "é sabido que os bebês, assim que nascem, tendem a usar o punho, os dedos, e os polegares em estimulação da zona erógena oral, para satisfação dessa zona, e em tranquila união. É igualmente sabido que, após alguns meses, bebês de ambos os sexos passam a gostar de brincar com bonecas e que a maioria das mães permite aos seus bebês algum objeto especial, esperando que eles se tornem, por assim dizer, apegado a tais objetos". Embora possa existir esse componente sexual, Winnicott não relacionou essas experiências com a percepção sensorial em busca de apaziguamento para uma angústia de morte. Manteve-se preso à teoria freudiana da pulsão libidinosa.

Tustin também não se desvencilhou por completo dessa teoria clássica da satisfação das zonas eróticas, mas considerou essas ações como movimentos em busca de coesão e tranquilidade ao portador.

Talvez Freud (1920) haja relacionado esse estado ao Princípio de Conservação e apontou para uma psicopatologia anterior à da repressão sexual, ligada à morte, mas não deu prosseguimento a esse estudo.

O retraimento autista

O termo autista tem a ver com o primeiro estado biológico do ser emergente. Este é organizado sob a égide da homeostase com todas as condições ótimas para a continuidade dos processos de maturação biológica e sua manutenção. Nesse estado, há uma absorção e consumo de oxigênio pela célula em quantidades mínimas, suficiente para fornecer a energia necessária aos processos vitais, como mostram experiências recentes de Blackstone et al. (2005). Denominaram-nas de "suspensão animada" devido ao estado próximo da inércia vegetativa. Essas experiências têm demonstrado que, através de isquemia produzida, pode-se prolongar a vida de órgãos para transplante por técnicas que reduzem o consumo de oxigênio pelo órgão a ser transplantado.

É proposto, nesse trabalho, que qualquer trauma com noção da descontinuidade do existir promove, mesmo no período fetal, de forma instintiva, um retorno da vítima ao estado homeostático anterior para prolongar a vida. Denomino esse retorno de retraimento autista e o considero elemento importante na etiologia do SP.

A teoria do trauma segundo o DSM-IV

O trauma é definido pelo DSM-IV (1994) "como um acontecimento que determina na vítima ou testemunha uma noção concreta de morte". Tem desdobramentos orgânicos e psíquicos importantes, que vão desde a imobilidade até a hiperatividade física e psíquica, que já descrevi (Salim, 2004).

O trauma fetal pode ser resultante do traumatismo de parto, de estados tóxicos e infecciosos durante a gravidez, de malformação congênita e de qualquer fator que coloque em risco a sobrevivência do feto ou recém-nascido.

Como dito, ocorre o retraimento autista com presença de imobilismo, sem consequências patológicas, se transitório, como acontece no trabalho de parto normal ou uma situação existencial passageira. É regido pelo sistema nervoso parassimpático.

Pode ocorrer outra resposta, caracterizada pela hiperatividade, e suas funções vitais são ordenadas pelo sistema nervoso simpático. Se prolongada, dá início a um processo de desgaste, que Selye (1936) denominou de estresse. Desencadeia a denominada "Síndrome de adaptação geral", que envolve a hipófise, o hipotálamo, o sistema nervoso simpático e parassimpático e a as glândulas suprarrenais. Termina com uma alteração morfológica irreversível do órgão e o estado de insuficiência orgânica e psíquica, como se observa no paciente psicossomático. Geralmente está insuficiente para a vida familiar, social, sexual e profissional.

Tanto a hipoatividade como a hiperatividade dependem da avaliação intuitiva do nosso cérebro reptilíneo da gravidade, da intensidade, da iminência do perigo e das experiências traumáticas anteriores, para optar pelos movimentos de imobilismo, de luta, ou de fuga. O corpo chega antes da cognição.

Scaer (2001) fez a importante consideração de que o efeito patológico do trauma sobre a vítima depende da predisposição desta. Verificou que acidentes automobilísticos graves nem sempre produziam efeitos de Transtorno de estresse pós-traumático, enquanto outros insignificantes o produzem.

Proponho que essa predisposição é condicionada pela personalidade autista, resultante da fixação da vítima ao estado de retraimento autista, ao qual retorna como se já soubesse o caminho.

Caso clínico

L. estava com trinta e quatro anos quando iniciou a psicoterapia psicanalítica com duas sessões semanais. Queixava-se de bruxismo acentuado, eczema grave, constipação intestinal acentuada, incapacidade para o trabalho e desinteresse pela vida. Desde a adolescência apresentava ocasionalmente esses sintomas, que se agravaram aos vinte e sete anos, após a morte do tio com quem trabalhava.

Informa que o pai faleceu quando nova e a mãe foi obrigada a trabalhar. Passou a cuidar em casa dos irmãos menores. Na juventude, teve dificuldades escolares de relacionamento com colegas pelo temperamento de pessoa isolada e calada. Apresentou amenorreia prolongada. Aos dezoito anos, começou a trabalhar na empresa do tio, que lhe demonstrou afeto e confiança. Dedicou-se ao trabalho e foi assumindo a direção. Conseguiu formar um pequeno patrimônio.

Casou-se com 22 anos, mas separou-se 1 ano depois, pela intolerância ao modo extrovertido do marido, que colidia com alguns rituais comedidos de alimentação e de diversão e com o apego à família e ao trabalho. Aos 27 anos, o tio morre e a família impede-a de continuar na empresa.

O bruxismo obrigou-a a longo tratamento odontológico para não perder os dentes. Fez vários tratamentos médicos desde então, durante todos os anos seguintes, sem melhoras.

Aos 32 anos, foi convidada pelos familiares que a haviam afastado da empresa a retomar sua direção. Sentiu-se física e psiquicamente insuficiente. Optou por trabalhos artesanais de bordado, que exercia com habilidade e que lhe rendia algum dinheiro. Nessa época procurou tratamento comigo.

Após 2 anos, apresentou melhoras apreciáveis. Entendeu a importância da reincidência traumática das perdas do pai e do tio para o agravamento dos sintomas, e que esses resultavam da necessidade de gerar sensações sensórias para se sentir com vida. Vem-se refazendo com o auxílio da manutenção regular do *setting*, por meio dos horários regulares, pelo meu tratamento afetivo constante, por meio do olhar, da fala, e da compreensão empática.

Também esta sendo útil o trabalho interpretativo da relação com a insuficiência para o viver. Subestimava-se e era subestimada pelos outros, fato que a mantinha em constante baixa estima. Continua em tratamento.

Conclusão

Pelo exposto, a etiologia do SP estaria relacionada à reincidência traumática em paciente portador de personalidade autista. O corpo se converte em "mãe suficientemente boa" (Winnicott, 1978).

Um *setting* terapêutico adequado, fornecido principalmente pela constância da confiança no psicoterapeuta, mantém semelhanças com a homeostase, e o paciente poderá retomar seus processos de maturação devido à segurança de vida sentida. O mecanismo de cura é lento e passa pela afetividade, segundo Almeida (2005). O trabalho interpretativo relacionado aos elementos da transferência-contratransferência e da relação do paciente com a doença, elementos esses pertinentes à matriz psíquica esquizo-paranoide, depressiva e edipiana, deve ser feito em momento posterior para evitar a iatrogenia.

Pode-se fazer a conjetura de que a questão da fragilidade dos órgãos remontaria ao momento do trauma com a embriologia de determinado órgão. Esse trauma seria registrado pela memória de procedimento e evocado posteriormente diante de novo trauma, recaindo o peso biológico sobre o órgão afetado anteriormente.

Há necessidade de mais estudos conduzidos de forma articulada entre psicanalistas, psiquiatras e neurobiólogos.

Capítulo XII

Paciente poliqueixoso e o trauma físico e psíquico (2007b) *

Existe na clínica médica um paciente denominado de poliqueixoso. Seu diagnóstico é feito a partir de queixas repetitivas, de natureza somática e psíquica, com oscilação da intensidade, da variedade e da inespecificidade das mesmas, algumas até antagônicas. Tais pacientes são submetidos a vários exames complementares, após o que se conclui tratar-se de queixas funcionais sem causa específica.

Com meus os estudos sobre o Transtorno de estresse pós-traumático (TEPT), acredito que é possível entendê-lo como parte desse transtorno e o diagnóstico clínico ser feito por inclusão, e não por exclusão, mediante exames complementares invasivos para um paciente já traumatizado.

Habitualmente, é atendido por seguidos especialistas, com resultados terapêuticos precários, como é sua própria vida pessoal, familiar, social e profissional. Sua doença se prolonga sem tempo determinado, acompanhada de sofrimento físico e psíquico e tende à cronicidade.

Essa evolução torna-se por si só incômoda para o paciente e para os familiares. Apresenta tendência a se prender ao médico

---

* Trabalho publicado na *Revista Médica de Minas Gerais*. 2007. 17(1-2): 27-33.

Nota explicativa

Este trabalho é outro desdobramento clínico dos estudos realizados com o referencial teórico e técnico desenvolvido. É uma aplicação à clínica geral, na qual é frequente a incidência desse paciente, geralmente sentido como incômodo pelo generalista. Esse paciente, de forma geral, é de diagnóstico difícil e tratamento precário. Faz parte da denominada clínica do vazio e do desvalimento.

que o assiste, pelo desamparo que sente, adesão essa evitada por alguns deles.

Por vezes, é subestimado e julgado sem força de vontade para melhorar ou considerado como simulador em busca de um benefício pessoal secundário de ordem psíquica ou material, como uma aposentadoria precoce, um atestado para licença médica e para outros fins.

Meu interesse pelo estudo desse paciente surgiu quando desenvolvi meus estudos sobre o trauma, o estresse e o retraimento autista, a partir da articulação da Psicanálise com a Psiquiatria, a Neurobiologia e minha prática clínica. Tenho publicado alguns trabalhos (2004, 2005a, 2005b, 2006) com exame mais aprofundado da sintomatologia e da etiologia do Transtorno de estresse pós-traumático (TEPT), que considero estar na base dessa psicopatologia, porém nem todo paciente portador de TEPT é poliqueixoso. Seu estado de fraqueza não lhe empresta força física e psíquica para tanto.

Neste trabalho, pretendo mostrar que esse paciente foi vítima de um evento traumático e, como característica, se esquiva de lembrar e de falar sobre o mesmo, apesar da lembrança do evento voltar de modo incontrolável sob a forma de memórias relâmpagos e sonhos repetitivos. Devido a essa atitude, ele permanece de forma circular no relato de suas queixas somáticas e psíquicas.

Proponho a hipótese de que o mesmo usa o corpo como uma segunda mãe, mediante o retraimento autista. Esse, por sua vez, relaciona-se com a homeostase das funções vitais existentes no feto logo após a fecundação, como será explicado adiante.

O retraimento autista

Ao estudar o desenvolvimento psíquico e biológico inicial, pode-se fazer a conjectura da existência de um estado inicial do feto, no qual existe uma regularidade dos ritmos das funções vitais, ditados pela filogênese, que resulta em experiências sensoriais ritmadas, a partir das quais o feto tem a noção subjetiva de que está existindo, acompanhado da maturação progressiva dos processos da maturação biológica. Pode-se denominá-lo de estado homeostático, que funciona como uma mãe bastante suficiente para prover o feto e, depois, o recém-nascido dos cuidados de que necessita para manter-se sereno (Salim, 2007a). Esse estado instala-se logo após a fecundação e é registrado por incipientes estruturas neurais. Dessas, origina-se a memória de procedimento, de fundamental importância para a sobrevivência. Essa memória, segundo Kandel (2003), acompanha o feto por toda a vida e está sempre se enriquecendo com procedimentos visando à sobrevivência de seu portador. Estudos da Neurobiologia, de acordo com Sidarta (2003), vêm mostrando que esse enriquecimento da memória de procedimento é a principal função do sonho, contrariando a teoria de Freud de que o sonho é apenas uma forma de realização de desejos sexuais reprimidos, com exceção dos sonhos traumáticos (Freud, 1921).

Esse estado é chamado de autista por ser o primeiro estado psíquico. Nele, o feto basta a si mesmo e tem a ver com o estado autista existente no autismo psicogênico (Tustin, 1900).

A vítima do trauma, que tanto pode ser um feto como uma pessoa idosa, volta a esse estado de homeostase, cujo retorno é denominado retraimento autista.

As experiências de Harlow (1957) com macacos recém-nascidos demonstraram que, se isolados dos outros macacos logo ao nascer, por um período de 6 meses, quando recolocados de volta ao convívio com os mesmos desenvolviam sintomas autistas, como isolamento, imobilidade e animação suspensa, isto é, faziam o mínimo necessário só para sobreviver. O mesmo não acontecia quando eram separados após 10 dias de nascimento. Ao serem recolocados com outros macacos, tinham socialização e mobilidade motora pouco prejudicada.

Como existe um paralelismo aceito pela ciência entre as reações dos animais e dos homens em relação aos reflexos inatos e adquiridos, essas experiências subsidiaram meus estudos sobre o desenvolvimento psíquico inicial e permitiram-me postular que existe uma matriz psicobiológica inicial, capaz de gerar sintomas e comportamentos típicos com características autistas.

Esse fato é muito importante para a compreensão da psicopatologia do paciente poliqueixoso, a qual tem natureza reflexa e instintiva e não tem conteúdo simbólico de desejo ou impulso reprimido. Portanto, não cabem interpretações simbólicas, como até hoje preconiza a Medicina Psicossomática inspirada nos conceitos psicanalíticos e sua teoria da linguagem dos órgãos baseada na repressão de desejos inconscientes.

O trauma

A palavra trauma, de etimologia grega, é traduzida para o português como ferida. Este trauma constitui um evento traumático que, para se tornar patogênico, segundo o DSM-IV (1994), deve produzir na sua vítima ou na sua testemunha um medo consistente de morte, e é com este sentido que vai ser usado nesse trabalho.

Com base nos estudos mencionados, para o desenvolvimento do TEPT ou da sintomatologia do paciente poliqueixoso, é necessário que, além do evento traumático recente (um acidente automobilístico, um sequestro, um abandono, uma infidelidade e outros) tenha havido na vida fetal, até 10 dias após o nascimento, um trauma com a interrupção sentida do "continuar sendo" ou do sentir "continuar existindo" (Winnicott, 1962). O traumatismo do parto é o mais habitual.

Para melhor explicar a fisiopatologia do trauma, ele será aqui comparado a um fenômeno físico. Na ocorrência de uma ruptura da camada protetora de um recipiente por um trauma, seu conteúdo tende a sair por essa ruptura. Do mesmo modo, pode-se conceber o cérebro como um recipiente para conteúdos psicobiológicos, tais como os registros da memória de procedimento para a sobrevivência e o registro da evolução dos processos de maturação biológica e cognitiva, desenvolvidos laboriosamente e que propiciam a sensação de estar existindo. Qualquer ferida na estrutura ou na superfície desperta o medo e o sentimento de que os conteúdos armazenados possam vazar por essa ferida. Resulta um temor de aniquilamento, de ficar esvaziado de todo e de se desfazer. Como o tecido nervoso e a pele são embriologicamente originados do ectoderma, é licito supor, também, que uma ferida dessa última, que tem a função de revestimento para o corpo, promova o mesmo estado de angústia, como ocorre na prática. Certas pessoas, diante de um ferimento pequeno da pele, tornam-se aflitas e até podem desfalecer. São tomadas pelo temor de se desfazerem devido ao medo de vazamento de seus conteúdos, como o sangue, as fezes e a urina.

Publiquei um trabalho (Salim, 2002) no qual descrevo uma sintomatologia psíquica e física específica oriunda dos recursos empregados pelo ser para tentar refazer a ruptura sofrida. Dei-lhe o nome de *Remendos para uma superfície sensorial*.

Além desses recursos para remendar-se, a vítima de um evento traumático retorna ao estado de retraimento autista em busca de segurança e serenidade. Esse movimento está a serviço da sobrevivência e nisto se diferencia do conceito clássico da Psicanálise de regressão libidinal (Freud, 1917) ou de regressão à dependência.

O estresse

Ao retornar ao estado de retraimento autista, a vítima do trauma volta a um estado de funcionamento físico e psíquico, onde as demandas de oxigênio para manutenção das funções vitais são menores. Sobrevive com um mínimo de oxigênio celular, tal como se faz para prolongar a vida de órgãos para transplante, segundo Blackstone et al. (2005).

Se a vítima for jovem ou adulta, vai precisar contar consigo mesma e com o meio externo, nem sempre favorável para auxiliá-lo, pela sua idade, nas obrigações profissionais, sociais e pessoais, empurrado que é pelo instinto de vida, que o leva a mover-se sempre para frente, e pelas imposições do superego para com as insuficiências. Incapaz de atender às demandas dessa realidade, porque seu equipamento cognitivo e motor presidido pelo estado autista são precários para tanto, vai-lhe ser exigido um esforço maior para manter-se e, após algum tempo, vai mostrar os primeiros sinais e sintomas de desgaste. É a esta situação de desgaste crescente por um esforço maior que Selye (1936) denominou de estresse, e ao conjunto de reações e respostas denominou de "Síndrome de adaptação geral". Tem semelhança com o desgaste que sofre um motor defasado para uma determinada tarefa.

O estresse agudo resultante dessa experiência traumática não tem uma duração suficiente para promover alterações morfológicas nas estruturas neurais. Mas se o estresse se torna crônico, ocorre uma liberação mais prolongada e acentuada de substâncias químicas, especialmente os glicocorticoides, que atuam no hipocampo, promovendo uma atrofia das estruturas responsáveis pela normalidade da vida instintiva.

O TEPT

Pode-se concluir que o paciente poliqueixoso é portador de TEPT. Seguem-se algumas referências.

Segundo Bernik et al. (2003), 30% das vítimas de traumas desenvolvem o TEPT e sua prevalência na vida da população civil urbana é de 10% nos homens e de 18% nas mulheres, segundo estatísticas americanas. Em nosso país, pode-se esperar uma incidência maior em virtude do alto índice de violência existente.

Para Figueira (2003), o diagnóstico do TEPT "tem uma tríade psicopatológica em resposta a um evento traumático. Desenvolvem-se três dimensões de sintomas: o reexperimentar o evento traumático, a evitação de estímulos a ele associados e a presença persistente de sintomas de hiperestimulação autonômica".

A esses sintomas de hiperestimulação juntam-se outros com características de hipoestimulação, como se segue:

a - hiperestimulação: insônia, irritabilidade, impaciência, taquipsiquismo, estado constante de alerta, aumento da atividade psicomotora, taquicardia, hipertensão arterial, apego excessivo à ginástica e às corridas diárias, adição às drogas e ao álcool, sintomas psicóticos e outros.

b - hipoestimulação: fadiga, cansaço, desânimo, sonolência, tristeza vazia ou fria, ausência de si mesmo, diminuição da capacidade cognitiva e motora, sensibilidade aumentada para os estímulos sensoriais, mialgias, perda do apetite e do interesse sexual, distúrbios menstruais, constipação intestinal e outros.

O estado de hipoestimulação pode ser confundido com um estado depressivo. No entanto, a tristeza no TEPT é descrita pelo paciente como fria e vazia. Ele está distante, não chora e está desertificado. Sente que não habita o próprio corpo. Sua psicopatologia origina-se de um estágio do desenvolvimento, quando ainda não existe um sujeito interpretante, um ego. Por isso, não é pertinente falar-se em depressão.

O estado de hiperestimulação pode ser confundido com o estado maníaco ou esquizoide.

Ambos os estados existem dialeticamente no mesmo paciente com prioridade de um sobre o outro. Devido a isso, às vezes, o portador é diagnosticado como tendo Transtorno do humor bipolar, ou mesmo Esquizofrenia, e tratado como tal.

Geralmente, apresenta várias entidades clínicas associadas, denominadas de comorbidades, como distúrbios alimentares (Anorexia Nervosa, Bulimia e outros), adição às drogas e ao alcoolismo, perversões sexuais, fobia social, transtornos: depressivo, do pânico, psicossomático e psicótico.

Segundo o DSM-IV (1994), no TEPT os sintomas ocorrem dentro de quatro semanas após o evento traumático e têm duração mínima superior a um mês. O TEPT é frequente na nossa clínica, e a ele este trabalho dirige sua atenção.

Caso clínico

J. tem 48 anos, casado e escolaridade média. Chega para a consulta com vestes em desalinho e poucos cuidados pessoais. Apresenta expressão de fraqueza e lentidão. Apresenta esquecimento, falta de concentração, tristeza indefinida, fadiga, está estranhando a si mesmo e ao seu redor, perda de apetite e dores no corpo. Acha-se diferente do que era: ativo e participante.

J. diz que foi vítima de sequestro seguido de tortura há dois anos. A partir de então, passou a apresentar as queixas citadas, acompanhadas de lembranças e sonhos repetitivos relacionados ao evento citado. Não conseguiu voltar ao trabalho, o que lhe acarretou sentimento de desvalorização diante da competência que exibia. Fez uso de vários antidepressivos e sedativos, sem obter melhoras.

Compreendi seu estado de inutilidade e incômodo devido às inúmeras queixas apresentadas e aos poucos resultados terapêuticos com os tratamentos realizados.

Fez vários tratamentos psiquiátricos e clínicos sem resposta e está desanimado de começar mais esse. Só o vai fazer porque tem boas referências minhas.

Sugeri tratamento pela Psicoterapia Analítica com uma sessão semanal. Não foi prescrito antidepressivo, porque a experiência clínica com esses pacientes mostra que não ajuda no tratamento, a não ser quando ministrado após o estabelecimento de uma boa relação médico-paciente.

Após quatro meses de tratamento, J. apresentou melhoras e mais confiança. Ficou mais tolerante consigo, com resposta positiva para seu estado de estresse. As sessões caracterizavam-se pela repetição da avaliação das melhoras e pioras sentidas, como se estivesse certificando-se de suas possibilidades de êxito. Estava mesmo melhorando e essa compreensão dava-lhe tranquilidade.

J. mostrava-se com disposição para continuar o tratamento, embora continuasse falando pouco de si mesmo como pessoa, evitando a exposição de aspectos ligados aos traumas mencionados e falar de sua intimidade e subjetividade. Prendia-se ao relato repetitivo de suas queixas.

Eu enfatizava para ele sua tendência repetitiva e lhe dizia que devia ser vista como natural. Recomendava-lhe paciência para o seu sentimento de insuficiência. Era preciso compreendê-lo como resultante do trauma, sem julgar que ela estaria de corpo mole para melhorar.

Comentários adicionais

Alguns pacientes poliqueixosos apresentam um tempo de latência entre o trauma e o aparecimento dos sintomas.

Outro paciente desenvolveu um hematoma subdural por queda súbita devido a um desfalecimento. Fez craniotomia e, dois meses depois, apresentou quadro de ansiedade seguido de sintomas típicos de TEPT e sintomas psicóticos. No primeiro contato, parecia tratar-se de um quadro de Esquizofrenia. O paciente reiterava o delírio de que queria "voltar para sua casa antiga". Esse fato obrigava os parentes a manterem fechadas as portas do apartamento. Mais tarde, compreendeu-se que esse insistente pedido significava o desejo de voltar a ser como era.

Os sintomas do paciente poliqueixoso devem ser entendidos como concomitantes fisiológicos. Não têm nenhum conteúdo simbólico relacionado com a repressão de instintos sexuais reprimidos. Expressam a existência da angústia de morte e as defesas relacionadas a ela, geradas pela matriz autista. Ele sente e reage reflexamente, sem interferência do ego, de uma cabeça para pensar.

O conhecimento desse significado do sintoma pelo médico-assistente pode ajudá-lo no início da realização da Psicoterapia Analítica, facilitando uma postura côncava que o paciente busca com seu corpo. É fundamental a empatia, assim como o estado de vitalidade do médico, para responder-lhe com a fala rítmica, o brilho do olhar, o calor do cumprimento de mão e a constância do *setting*. Sua angústia é de morte e de desamparo.

Conclusão

Conclui-se que esse paciente está em estado de insuficiência pelo retraimento buscado para sentir-se seguro e sereno, mas que o deixa, de forma parcial, despojado das aquisições cognitivas do sistema nervoso central. Esse fato explica o comportamento de apego exagerado ao médico-assistente, visto e sentido por ele como vital para sua sobrevivência.

Quando ele não é assistido adequadamente, pela própria precariedade material e emocional, utiliza o último recurso que lhe resta: apelar para o próprio corpo como uma segunda mãe vivificante em busca da experiência sensorial que o faz sentir com vida. Nesse estado, começa a desenvolver os sintomas psicossomáticos.

O meio ambiente externo geralmente o rechaça pela insuficiência, inutilidade e repetitivas queixas, assim como o próprio paciente se rejeita pelo superego exigente que não o aceita com insuficiências.

O paciente poliqueixoso está realmente incapacitado para o exercício das atividades no mundo adulto.

Compete ao médico valorizar as queixas e as fragilidades em busca da sobrevivência, fato que dignifica o atendimento médico.

É desejável que o médico-assistente lhe ministre os primeiros cuidados de Psicoterapia para sensibilizá-lo para a Psicoterapia Analítica.

As terapias cognitivas ou comportamentais não estão indicadas, porque esse paciente não está em condições de dominar a vontade própria diante de sintomas, que têm uma natureza biológica reflexa. Seu entendimento cognitivo não é suficiente para lidar com a insuficiência e esses tipos de psicoterapia podem acentuar o estado de estresse ao solicitar-lhe atividades que não consegue realizar.

Considera-se que o médico pode preparar-se melhor para o atendimento a esse paciente, por meio do denominado Grupo Balint (1975) de aprendizado da valorização do elemento afetivo presente na relação médico-paciente. Recomenda-se, ainda, a existência um curso teórico e, se possível, prático sobre o TEPT.

É crescente a frequência desse paciente na clínica atual, pelo aumento da violência nos tempos atuais.

Capítulo XIII

Etiologia da Anorexia Nervosa: hipótese traumática (2009) *

A etiologia da Anorexia Nervosa (AN) permanece desconhecida.

Neste trabalho, vou propor uma etiologia traumática para a mesma, baseada na descentralização do conceito psicológico freudiano de trauma e enfocando o conceito biológico, segundo o DSM-IV (1994). Esse é conceituado como um evento vivido com noção de morte por uma pessoa, que deixa lembranças que não

---

* Não consegui publicar este trabalho devido a pareceres adversos de pareceristas.

Nota explicativa

Estudos sobre o autismo, o trauma e o retraimento autista me levaram à conclusão de que existe um espectro de doenças composto pelos transtornos autistas, transtornos alimentares e o transtorno de estresse pós-traumático, com a mesma etiopatogenia. Isto é, seus portadores apresentam uma sintomatologia autista que permeia esses transtornos.

Permanece para mim uma incógnita: por que ora um transtorno, ora outro? Que fator ou fatores interferem nessa prioridade? Seria a relação entre a Embriogênese e o momento do trauma? Onde entra a Genética, que até agora não nos informou nada de positivo sobre essas entidades?

Neste trabalho, apresento uma hipótese traumática para a etiologia da Anorexia Nervosa, como o fiz para explicar a etiologia traumática do Transtorno de estresse pós-traumático, psicose, sintoma psicossomático e autismo. Esses trabalhos elaborados partem da contribuição clínica e teórica de Tustin, Ogden e Winnicott, e são subsidiados por trabalhos pertinentes da Psiquiatria e da Psicologia Experimental. Em alguns aspectos são, portanto, repetitivos.

Como dito, estão todos relacionados com a primeira defesa biológica voltada para a sobrevivência, o retraimento autista e os recursos empregados pela vítima do trauma para se apaziguar da angústia de morte subsequente: a autogeração de experiências sensoriais pelos "objetos autistas" e as "formas autistas" conforme Tustin (1990).

Penso poder estender-me ao estudo das perversões sexuais e às adições a drogas e ao álcool.

se apagam, continuando a interferir na vida de sua vítima, determinando sintoma e modos de sentir e comportar-se.

O registro do trauma e as respostas biológicas do organismo são feitos pela amígdala cerebral, sede da memória implícita voltada para manter a sobrevivência.

É um universo sem palavras, onde a experiência sensorial autogerada de forma inata e reflexa permite à vítima do trauma a noção de continuar existindo, se autoapaziguando da angústia de morte.

Os sintomas resultantes são concomitantes biológicos e carecem de representação psíquica. Suas presenças indicam apenas a existência do medo de morrer do seu portador. Não são representações mentais de conteúdos sexuais ou agressivos e, portanto, é improcedente pensar que podem ser traduzidos em palavras pela interpretação psicanalítica, como se houvesse um conteúdo psicológico reprimido, como acontece na Histeria.

Proponho que a etiologia da AN é neurobiológica, resultante de um evento traumático com noção de morte em vítima com predisposição dada por um trauma fetal ou perinatal com as mesmas características. A autoinanição observada seria, de forma paradoxal, uma forma de sobreviver, como ocorre com plantas e animais em estado de hibernação. Nesse estado há uma diminuição da absorção e do consumo de oxigênio para a realização das funções vitais básicas, que permite o prolongamento da vida.

Estou consciente da originalidade desta hipótese. É produto de muitos anos de estudos e de prática clínica, fundamentada na interdisciplinaridade da Psicanálise com a Psiquiatria, a Neurobiologia e a Psicologia Experimental.

Vou expor, inicialmente, os passos que me conduziram a esse conhecimento, seguido da apresentação de experiências atuais da Psiquiatria e da Psicologia Experimental que a fundamentam.

Estou convicto de que vai suscitar oposições de psicanalistas, porque considero sua etiologia neurobiológica, e não psicogênica, como defendem os mesmos, e vou-me valer de experimentos biológicos, nos quais os psicanalistas não estão habitualmente interessados.

Também sei que essa oposição acontecerá com os psiquiatras, porque aponto a Psicoterapia Psicanalítica como tratamento psicológico básico para a AN, por motivos adiante expostos, e não a Psicoterapia Cognitiva defendida pela Psiquiatria moderna.

Não considero essa comunicação preliminar uma especulação imaginária.

Diagnóstico da AN

Os critérios atuais de diagnóstico baseiam-se em quatro elementos:

a - empenho em manter o peso corporal em nível igual ou pouco acima do mínimo adequado à idade e à altura;

b - a autopercepção da imagem corporal está distorcida, isto é, a anoréxica se vê gorda, sem juízo crítico de seu emagrecimento;

c - mulheres que já iniciaram o ciclo menstrual apresentam períodos sucessivos de amenorreia ou, para ocorrer a primeira menstruação, é necessária a administração de hormônio;

d - seu estudo é prevalente em mulheres, e neste trabalho estarei sempre me referindo a elas.

O sintoma mais importante da AN é a perda de peso decorrente da ausência de fome, até um limite mínimo compatível com a vida, acompanhada do sentimento de que está gorda ao se mirar num espelho. Esse fato constitui um paradoxo e sua decifração pode esclarecer a etiologia da mesma, como vou tentar fazer neste trabalho.

Trata-se de um quadro de autoinanição.

Estudos preliminares

Meus estudos iniciaram-se em 2002, com a compreensão do conceito de Ogden (1989b) sobre a posição autista-contígua, uma matriz psíquica anterior às matrizes esquizoparanoide e depressiva (Klein, 1946).

Essa matriz tem um caráter sensorial e é formada por experiências sensoriais autogeradas por elementos do próprio corpo do bebê com suas superfícies sensoriais, especialmente a pele.

Intui-se nesse período a inexistência de um ego psíquico que funcione como um sujeito pensante.

Associei essa matriz ao estudo do trauma, conforme definido no DSM-IV (1994): "um evento que é capaz de produzir em sua vítima ou testemunha uma noção concreta de morte". Tal conceituação é relevante porque destaca a angústia de morte presente em todo ser humano, com mecanismo de defesa próprio, de natureza biológica inata e reflexa, que acontece desde o período fetal.

Somente agora, a IPA demonstrou interesse real no estudo do trauma e consequências, ao realizar em Frankfurt a *Eleventh Joseph Sandler Research Conference* (2010), com o tema *Persisting Shadows of Early and Later Trauma,* e voltada para o estudo das vítimas do Holocausto.

Essa concepção do trauma é diferente daquela de Freud (1917), que o conceituou como "uma experiência que, em curto período de tempo, aporta à mente um acréscimo de estímulo excessivamente poderoso para ser manejado ou elaborado de maneira normal, e isso só pode resultar em perturbações permanentes da forma em que esta energia opera". Deduz-se que esse trauma mencionado por Freud implica a existência de um ego psíquico, que só existe no período da vida pós-natal, devido à maturação do sistema nervoso central.

Esse estudo levou-me a procurar o precursor do ego psíquico, que Freud insinuou em 1919, quando escreveu: "o ego é antes de tudo corporal", conceito que ele não desenvolveu.

Esse ego precursor dos primórdios da vida psíquica seria responsável pela expressão: "Sinto, logo existo" (Salim, 2007), em contraste com um ego psíquico responsável pela expressão de Descartes (1946): "Penso, logo existo".

As experiências de Harlow (1957) e Levine (1962) — psicólogos experimentais — realizadas com ratos e macacos, auxiliaram-me nesse sentido. Esses autores mostraram que aqueles animais, quando separados das matrizes, logo após o parto, até dez dias após o nascimento, ao serem recolocados em contato com elas, após seis meses de separação, sem exceção, mostraram-se estranhos, procuraram o isolamento e estavam desvitalizados. Esse estado era irreversível. O mesmo não ocorria com o segundo grupo, separado das matrizes após dez dias do nascimento. Quando retornavam ao convívio com as mesmas, logo se socializavam e recuperavam sua vitalidade. Deduz-se por essas experiências que há uma resposta biológica ao trauma que varia de acordo com a etapa de maturação do sistema nervoso. Essas experiências mostraram a importância de considerar os traumas fetais e a decorrência de uma psicopatologia própria desse período, como insinuou Ogden (1989b).

Acrescentei, em seguida, estudos de Tustin (1990, 1991) afirmando que as sensações sensórias geradas pelo próprio recém-nascido formariam o ego precursor. Ela demonstrou que há um apego do recém-nascido às experiências sensoriais autogeradas, mediante utilização de elementos do próprio corpo, de natureza macia (saliva, muco, lágrimas e outros) ou dura (unhas, dedos, mãos, língua, fezes e outros) em contato com superfícies sensíveis do seu corpo, principalmente, a pele. Denominou os primeiros de formas autistas e os segundos, de objetos autistas. Depois, descreveu em adolescentes, adultos e senis a presença daquilo que chamou de barreiras autistas, resultado do apego a esses objetos e formas autistas, que responderia pelo autismo psicogênico.

De fato, a ultrassonografia fetal (Piontelli, 1987, 1989) mostra uma atividade do feto que coça com os dedos a orelha, a pele e os órgãos sexuais, o que permite remeter as observações de Tustin ao período fetal do desenvolvimento.

Segundo ela, e mesmo Winnicott (1962), esse processo estaria relacionado à busca de satisfação libidinal, similar ao que ocorre com o recém-nascido quando prensa o bico da mama da mãe com a boca. No entanto, o estudo minucioso de sua obra mostra que ela relacionou esse autoapaziguamento à busca da certeza pelo recém-nascido ou bebê da sensação de continuar existindo, que é a finalidade entendida por mim.

Freud (1920) já havia reconhecido, em *Além do Princípio de Prazer*, um funcionamento mental mais primário, voltado antes para a preservação da vida do que para a busca da satisfação sexual. Freud confessou nesse trabalho a insuficiência de sua teoria para explicar as neuroses traumáticas.

Contribuições da Neurobiologia

Para dar continuidade ao meu estudo do desenvolvimento psíquico, foi importante a contribuição da Neurobiologia sobre a memória implícita.

Kandel (2003), prêmio Nobel de Medicina de 2000, com seu estudo sobre essa memória, afirma que seu funcionamento é semelhante ao do inconsciente freudiano. Responde por atos executados de forma automática, voltados para a sobrevivência, e não está relacionada à repressão dos impulsos sexuais.

Entre nós, Sidarta (2003) afirma que o sonho é um processo neuropsíquico que transforma um aprendizado diurno de curta duração em um aprendizado de longa duração (memória de longa duração), voltado para a sobrevivência.

Concordo com essa hipótese, devido a minha experiência clínica atual com a interpretação dos sonhos. Esse desenvolvimento não colide com a teoria de Freud (1924) sobre o sonho como realização de desejos sexuais reprimidos a partir de um resíduo diurno. Elas são complementares, dependendo do contexto atual do sonhador, isto é, se está envolvendo sua vida sexual, como nas neuroses de transferência, ou sua sobrevivência, como em psicopatologias traumáticas relacionadas ao ego sensório.

Acredito que a distinção entre o inconsciente de Freud — com conteúdos sexuais reprimidos — presente nas neuroses de transferência e o inconsciente biológico — com conteúdos da memória implícita — relacionado às neuroses traumáticas, tornou-se para mim um progresso considerável.

Com base nesses desenvolvimentos, apontei (2006) para a existência de um espectro autista composto pelo autismo, as barreiras autistas em pacientes psiconeuróticos, a psicose, o sintoma psicossomático, o transtorno de estresse pós-traumático, a adição às drogas e ao alcoolismo, as perversões sexuais, entre outras entidades clínicas. Formulei, ainda, a hipótese de que o apego às formas e objetos autistas é responsável pela formação da personalidade autista, não descrita pelas classificações psiquiátricas, que considero importante ser postulada. Será objeto de outro trabalho.

Conceitos atuais

A predisposição

É conhecido o fato clínico da aparente relação entre a AN e o abuso sexual em meninas no período da infância, assim como a presença de distúrbios da menstruação nessas pessoas. Contudo, nem sempre a história pessoal da paciente anoréxica inclui violência sexual ou de outro tipo e, por outro lado, também se observam casos de AN em mulheres que não sofreram abuso sexual na infância. Há indícios dessa relação, como aponta os estudos de Sanci et al. (2008) sobre a relação entre abuso sexual na infância e o aparecimento dos sintomas de AN e Bulimia. Esses autores mostraram que a incidência de ambas as síndromes na adolescência é duas vezes e meia maior para aquelas que reportaram um episódio de trauma sexual na infância, e cinco vezes maior entre aquelas que reportaram dois ou mais episódios. Concluem que o trauma sexual parece ser um fator de risco para o desenvolvimento dessas doenças, porém sem fazer a afirmação.

Outro importante estudo feito por Procopio et al. (2007), com fetos gêmeos do mesmo sexo e fetos gêmeos de sexos opostos, demonstra que o risco de desenvolver AN nos gêmeos femininos é maior do que nos masculinos, como esperado. A única exceção são os membros machos dos pares de sexos opostos, que apresentam um risco maior comparado com outros membros machos de gêmeos masculinos. De fato, esse risco encontra-se em um nível que não é estatisticamente significante, diferentemente daquele das fêmeas desses pares. Segundo esses autores, a explicação poderia ser que, na gravidez envolvendo um feto feminino, por ação de uma substância provavelmente hormonal, há um aumento do risco da AN na fase adulta. Concluem que a exposição intrauterina do feto aos hormônios sexuais pode influenciar o desenvolvimento do seu sistema nervoso, afetando o risco da evolução da AN na idade adulta, e propicia uma explicação para a incidência maior em mulheres do que nos homens. Aponta para a possível relação dos hormônios sexuais com a AN.

Uma análise efetuada por Tomova et al. (2008) em pacientes anoréxicas e bulímicas, indicou que a presença de sinais de imaturidade neonatal ao nascimento, cuja imaturidade pode gerar um trauma do nascimento, causa altos níveis de desordens alimentares.

Corroborando o estudo citado, Favaro et al. (2008) mostraram uma relação próxima entre o trauma perinatal e a AN. Para os autores, "a presença de sinais de imaturidade ao nascimento parece influenciar o desenvolvimento de alto nível de ameaça nas desordens alimentares".

Para mim (2006), essa imaturidade vem acompanhada de desordens do espectro autista, como já mencionei. Essa relação é apontada por outros autores abaixo mencionados.

Bulik et al. (2007) e Zucker et al. (2007) afirmam que sintomas do espectro de desordens do autismo estão consistentemente representados em pacientes com o curso crônico de AN. O estudo revela processos interpessoais prejudicados, compara o fenótipo da AN com as desordens do espectro do autismo e propõe um novo referencial para entender a interação de indivíduos portadores de AN com outros do seu contexto social.

Na minha experiência, é possível obter da pessoa anoréxica, e mesmo dos seus pais, a história de traumas pré-natais e mesmo fetais. Quando isso não é possível, mostrei em outro trabalho (2005), que esses traumas aparecem em sonhos e podem ser detectados com auxílio da compreensão do funcionamento e da finalidade da memória implícita. São sonhos caóticos sobre queda, congelamento, morte, passagens apertadas etc.

A partir de minha experiência clínica, admito que outro indicativo do trauma precoce é a existência de embaraços logo após o parto, para o estabelecimento saudável de uma relação entre recém-nascido e mãe. Há dificuldades de alimentação, sonolência demasiada, presença de sinais autistas precoces como a sucção contínua dos dedos da mão, o olhar desviado e apático, a lentidão motora e outros, que costumam acompanhar o recém-nascido por toda a vida.

Desse modo, sinto-me autorizado a propor que a predisposição para o desenvolvimento do quadro clínico da AN é dada por um trauma físico ou biológico precoce.

A hipótese traumática da etiologia da AN

A etiologia da AN, segundo minha hipótese, está relacionada com um evento traumático seguido de noção de morte pela vítima com predisposição, como proposto. Vários trabalhos corroboram a observação da autoinanição após um trauma desse tipo, como podemos observar na nossa prática clínica cotidiana.

Gatward et al. (2007) tentou explicar a AN como resposta ao perigo ou ameaça de vida vivenciada por seu portador. Suas experiências revelaram que uma restrição dietética acontece como uma resposta antiga adaptativa com essas pessoas. Ocorre uma redução drástica da massa corporal.

Outra pesquisa de muita importância foi feita com ratos por Kohl, Foulon e Guelfi (2004), psicólogos experimentais, e demonstrou que eles se tornam hiperativos diante de um obstáculo para apanhar o alimento e, ao contrário do que se espera, reduzem o consumo quando o alcançam. O fenômeno é paradoxal. Era de esperar que os ratos se alimentassem mais ao ter acesso à comida. Não apresentam uma hipótese para explicar esse fenômeno.

Boakes (2008) realizou experiências muito incisivas com ratos, nas quais se faz uma combinação entre o livre acesso a uma atividade circular e um restrito acesso à comida. Há uma perda de peso e, se tal arranjo não for interrompido, podem perder peso até a morte. Nesse estado de emagrecimento, quando têm o livre acesso à alimentação, comem menos à medida que o peso diminui. Segundo o autor da pesquisa, embora se tenha conhecimento desse fenômeno há mais de quarenta anos, não se sabe a sua causa. O fenômeno é paradoxal, porque se espera que tais ratos comam mais à medida que seu peso diminui, mas de fato comem menos do que aqueles usados como controle na experiência.

Essas duas últimas experiências apontam para a hipótese de que se pode tentar prolongar a vida por meio da diminuição da massa corporal, obtida pela diminuição da alimentação e, por extensão, do peso corporal, como fazem as pessoas anoréxicas que procuram manter-se no peso mínimo compatível com a sobrevivência.

Freud (1920) parece ter antecipado a descrição desse fenômeno, quando descreveu o Princípio de Constância, ao qual se subordina o Princípio de Prazer, como uma tendência no sentido da estabilidade.

Os experimentos de Blackstone et al. (2005) para prolongar a vida de órgãos para transplante, como pulmão, coração, rins, pâncreas, são muito informativas nesse sentido. Mostram que esses órgãos, quando colocados em estado que denominam de "suspensão animada" — isto é, à margem da vida —, têm seus tecidos e funções preservados por dias ou mesmo semanas. As pesquisas mostram que é possível induzir estados de "suspensão animada" em animais que naturalmente não hibernam e que, nesse caso, ficam protegidos de danos nos tecidos, produzidos por perdas de sangue. Os autores concluem que os resultados "levantam a excitante possibilidade de que a suspensão animada é possível em humanos". Afirmam que "a suspensão animada" com animais de laboratório e com tecidos humanos sugere que essa capacidade pode existir latente em muitos organismos, e que seja capaz de interromper sua atividade celular como resposta a um estressor externo e se manter interrompida até que ele seja removido. A semente de uma planta, por exemplo, pode permanecer adormecida por anos na terra até que haja condições favoráveis para germinar.

Para mim, há um retorno ao estado de homeostase, onde a absorção e consumo de oxigênio são mínimos.

Esse retorno faz do corpo uma "mãe suficientemente boa" de Winnicott (1978).

Minha hipótese implica na predisposição formada por trauma fetal, do nascimento ou até dez dias de vida, com sensação de ameaça da descontinuidade do existir. Diante do segundo evento, a vítima agora bebê, criança, jovem, adulto ou senil, faz de modo reflexo o mesmo caminho de volta em busca da homeostase, aprendizado inicial para preservar sua continuidade, mediante diminuição da absorção e do consumo de oxigênio para manutenção das funções vitais. Tal mecanismo de defesa tem semelhança com o fenômeno descrito por Freud (1916) como regressão, no qual acontece o retorno a um ponto do desenvolvimento psíquico, no qual se sente seguro, a exemplo dos exércitos que avançam, mas deixam atrás de si pontos de apoio, caso precisem de ajuda.

A AN seria, paradoxalmente, uma forma de sobreviver. A anoréxica nos desafia com um enigma. Geralmente está muito emagrecida e se vê no espelho como gorda. Com o referencial descrito, posso entendê-lo como uma construção fantasiosa da ideação de uma pessoa anoréxica, que a faz lembrar-se, de modo intuitivo, que não deve alimentar-se além do necessário. Funciona como um alarme biológico despertado pela memória implícita. O processo seria mediado pelo sistema nervoso autônomo, diferente da Histeria, que é mediada pelo sistema nervoso central.

Material clínico

Rosa, vinte e um anos, bom quociente intelectual. Há três anos e meio procurou tratamento psicanalítico para a AN.

Na primeira sessão, relatou-me que os sintomas, iniciados aos quatorze anos, permaneciam até então. Explicou que passou a medir as calorias ingeridas de modo obsessivo e, quando as excedia, fazia jejum no dia seguinte, utilizando laxante, diurético, ingestão acentuada de água e indução de vômitos. Alimentava-se basicamente de chocolate. Entendi que esses sintomas eram como uma procura inata para viver na linha da vida. Associada a esse distúrbio alimentar, a paciente começou a ter intolerância para o contato prolongado com pessoas, intolerância com o frio, o calor e o barulho. Optava pelo isolamento social e possuía um sentimento de vazio inexplicável. O quadro clínico agravou-se com a manifestação de desinteresse pela vida, cansaço, fadiga, sonolência, amenorreia, constipação intestinal severa, bruxismo, intensa sudorese e salivação. Não sentia tristeza, apenas o vazio. Desenvolveu o hábito de coçar os olhos, enrolar os cabelos com os dedos e tocar com a língua, continuamente, as mucosas da boca, chegando a produzir ferida. Considerei esses comportamentos como traços autistas, conforme já descritos, associados às defesas biológicas de imobilidade e autoapaziguamento, pela produção de impressões sensórias para se acalmar, o que, paradoxalmente, lhe produzia muito incômodo, como a sudorese, a salivação e o bruxismo.

Com o andamento da Psicoterapia Psicanalítica, em duas sessões semanais, Rosa informou que aos quatro anos fora submetida a abusos sexuais por parte do padrasto durante dois anos, mantendo esse fato só para si, devido ao medo de contar para o pai e a mãe. Ao tentar fazê-lo para a mãe, esta lhe dizia que iria morar com o pai se insistisse nessa conversa. Ainda adolescente, tornou-se modelo por incentivo familiar. Nessa época, deixou de alimentar-se adequadamente, em função da carreira promissora, como é comum ocorrer. Os familiares não perceberam o início da Anorexia. Ao contrário, incentivaram-na e, aos dezessete anos, viajou para o exterior em busca de especialização. Permaneceu lá um ano, embalada pelo curso. Depois, não tolerou mais a ausência da mãe e do namorado, por conta da insuficiência física que começou a apresentar no início da doença.

Após o retorno, casou-se e montou a casa com móveis da mãe, embora o marido insistisse em comprar móveis novos. Após alguns meses, separaram-se em razão de seu ritual alimentar, sua disfunção menstrual, seu extremado apego e submissão à mãe, e do medo de sair à rua. O ex-marido deixou o apartamento, mas voltava com frequência, atendendo ao seu pedido.

Começou a trabalhar como professora de inglês. Apresentou, então, imperiosa necessidade de dormir à tarde, fato que estava embaraçando seu quotidiano, junto ao medo de sair à rua e à acentuação dos rituais alimentares e crises de pânico, em que sentia temor de morrer.

Iniciou uma série de tratamentos psicológicos e psicofarmacológicos, sem obter alívio de seus sintomas. Mesmo desanimada e descrente com tratamento, procurou-me por indicação de uma ex-paciente, de quem era companheira de trabalho. Houve uma boa sintonia entre nós. Eu compreendia sua insuficiência para a vida familiar, social e profissional. Ela passava as sessões queixando-se de colegas do serviço, que implicavam com seu modo de se vestir sempre de preto e as idiossincrasias citadas. Em algumas sessões, falava do ex-marido que se afastara dela quando mais ela precisava dele. Em outras, contava sobre o apego à mãe e ao pai. Ocasionalmente, mencionava de modo ligeiro, mas muito sentido, o trauma relativo aos abusos sexuais sofridos. Não queria voltar à cena do trauma, como ocorre com todos os traumatizados.

Depois, houve um tempo em que ficava silenciosa durante as sessões. Compreendi que essa condição era uma tentativa de manter a Psicoterapia no mínimo, sem se exceder, como fazia com a dieta à base de chocolate. Só o necessário para se manter viva e para afastar as lembranças do trauma infantil.

Atestando seu estado de insuficiência e estresse, relatou um sonho no qual seu carro enguiçara em uma pequena subida próxima à sua casa e ela tentava em vão empurrá-lo.

Houve um trabalho interpretativo com o propósito de aumentar a tolerância consigo mesma no sentido do desempenho profissional, do isolamento social e o excessivo desgaste que lhe produzia a insistência em se mostrar capaz, objetivando diminuir seu estado de estresse.

Após três anos e meio de tratamento, apresentou melhoras. Conheceu um rapaz com o qual mantém uma relação estável. Deixou de vestir-se somente de preto. Tornou-se mais apta para a atividade profissional, atenuou os rituais alimentares, experimentou um apreciável ganho de peso corporal e das formas femininas, diminuiu a necessidade de dormir durante o dia e a relação de apego à mãe.

Sessão do início do tratamento

Rosa chega vestida de preto, mostrando cuidados na maquiagem e na indumentária. Cumprimenta-me e se senta com rapidez. Fica em silêncio durante algum tempo, cabisbaixa.

Depois, fala, evitando olhar nos meus olhos.

Ela: Está muito difícil continuar no meu trabalho. As pessoas me olham de modo diferente e algumas vezes me evitam, porque sou pouco comunicativa. Ontem, precisei apresentar para a diretoria da escola um relatório sobre o desempenho de uma turma do curso do qual sou coordenadora. Notei que estava ansiosa e suava. Acabei apresentando-o, mas com muito custo. Estou começando a pensar em deixar esse trabalho por causa disso.

Eu: Espero que aqui eu consiga lhe transmitir segurança, para não ficar apressada em se sentar e poder falar sem adiar sua fala. Aqui você não está em avaliação.

Ela: Eu sei disso, mas não consigo ser diferente.

Eu: Você está tomando minha fala como um corretivo. Não estou chamando sua atenção. Estou apenas lhe dizendo que conte comigo para suas dificuldades. Sei que qualquer mudança no seu modo de ser requer tempo e pausas. Com o andamento da análise, vamos procurar entender porque se sentiu corrigida.

Ela: Esta noite, custei a dormir. Cheguei do trabalho e Pedro me ligou, me convidando para ir ao cinema. Eu estava exausta, havia comido algumas barrinhas de chocolate e só queria deitar e dormir. Ele, então, veio à minha casa e ficou pouco tempo. Ele me compreende. Dormi e tive um sonho. Estava deitada e não respirava. Procurava me mover e não conseguia. Sentia-me imóvel. Uma voz me dizia: estão costurando uma nova blusa para você. A sua está muito apertada. Olhei para o canto do quarto e vi um cachorrinho parado, me olhando atentamente. Acordei, sentindo-me desanimada.

Finalizei a sessão dizendo-lhe que seu sonho indicava a esperança de que estava nascendo dentro dela uma tolerância consigo, mediante minha ajuda. A visão do cachorrinho evidenciava que seu comportamento tinha semelhanças com os animais, isto é, em condições adversas de vida, se recolhe e fica imóvel a espera de condições melhores para voltar à vida.

Sessão três anos depois

Rosa chega e se dirige para o divã. Noto que está mais corada e tem o timbre da voz mais forte.

Ela: Meu fim-de-semana foi bom. Eu e o Pedro fomos fazer um piquenique em um local bonito, onde havia uma cachoeira para tomar banho. Entrei só uma vez na água, porque estava fria e o jato sobre o corpo era forte. Também o sol estava muito quente e eu procurava a sombra. Pedro brigou comigo, porque eu não aproveitava mais, mas mostrou-se feliz em me ver naquele lugar e em trajes de banho. Acho que agora vamos voltar outras vezes. Parece-me, hoje, que eu não vivia, não existia. Tudo era maquinal, até meus encontros íntimos com Pedro. Vivia adormecida, afetada pelo medo.

Eu: De fato, sinto que você está mais viva, tem mais cor.

Ela: O senhor lembra-se de meus rituais de comer e vomitar, de manter meu apartamento com os móveis da mamãe e de não sair à noite sozinha? Agora, vivo com o Pedro sem o medo de vomitar, estamos fazendo planos para trocar a mobília e, imagine o senhor: estamos planejando ir à Patagônia, onde moram seus parentes. Não estou me reconhecendo.

Rosa fica em silêncio algum tempo e depois revela uma nova intenção.

Ela: Estou tão bem, que penso em diminuir a análise para uma sessão por semana.

Fico surpreso. O mais esperado era que ela falasse o oposto ou mesmo não mencionasse esse propósito. Pensei em concordar com a paciente, mas veio-me a lembrança das suas dificuldades iniciais para fazer duas sessões por semana. A redução poderia estar relacionada ao fato de Rosa estar me sentindo como sentia o padrasto, a mãe ou o pai, assim como às suas tendências biológicas para ficar sempre no mínimo, como fazia para se alimentar. Nem zero nem menos. Só o necessário para manter-se viva. Talvez ambas.

Eu: Estou surpreso com sua comunicação. Se eu ficar conivente com você, não a estarei ajudando a superar sua necessidade biológica de viver com o mínimo. Você ainda precisa de mim para livrar-se da sujeira dos traumas sofridos, que podem conduzi-la ao imobilismo ou ao isolamento.

Ela: De fato, ainda hoje, tudo que começo, tendo a interromper. Pode ser uma redação, um bordado ou um projeto de viagem.

Eu: Conte comigo para continuar ao seu lado.

Discussão do material clínico

Rosa teve sua vida marcada por traumas, como abusos sexuais na infância pelo padrasto, e outros intuídos pelas características autistas mencionadas. Esses traumas culminaram com a insuficiência física devido ao desgaste (estresse) relacionado às cobranças do superego.

Essa compreensão permitiu-me o entendimento das falas da paciente, favorecendo o trabalho interpretativo de sua insuficiência e enfatizando minha expectativa na melhora de sua qualidade de vida.

Esse enfoque não excluiu o trabalho interpretativo clássico da transferência, da contratransferência, das angustias esquizoparanoides, das depressivas e das edípicas. Na verdade, é um trabalho interpretativo dialético que depende da prioridade do momento. Essa paciente é de difícil manejo clínico porque se agarra à defesa para sobreviver: comer só o necessário para sobreviver. Têm necessidade do *setting* constante — que passa pela compreensão da insuficiência dessa paciente, pelo meu acolhimento afetivo e contínuo — e um trabalho interpretativo sistemático de:

a - angústia de morte e da defesa biológica correspondente;

b - trabalho das relações intersubjetivas e intrassubjetivas;

c - trabalho interpretativo da transferência e da contratransferência;

d - trabalho interpretativo da angústia de castração, esquizoparanoide e depressiva, que alterna dialeticamente com a angústia de morte.

Conclusão

Considero esse trabalho uma comunicação preliminar, que valida a continuação desses estudos relacionados com a hipótese traumática para a etiologia da AN, por meio de mais experiências clínicas e contribuições interdisciplinares.

Capítulo XIV

Revendo o autismo: uma proposta traumática para sua etiologia (2010) *

Neste trabalho, proponho a hipótese de que a etiologia do autismo é traumática, e não psicogênica. Estaria associada a um trauma precoce com percepção sensória de morte por sua vítima. Este gera uma defesa de natureza biológica inata para tentar preservar a vida, que denomino de "retirada autista", e um recurso biológico para atenuar a angústia de morte, mediante experiências sensoriais autogeradas por elementos do próprio corpo, que conferem à vitima do trauma a noção de estar existindo.

No entanto, considero alguns conceitos psicanalíticos valiosos para compreender a diversa sintomatologia autista e seu tratamento, como os estudos de Tustin sobre os "objetos autistas" e as "formas autistas" e os de Ogden (1989) sobre a posição autista-contígua.

---

* Não consegui publicar este trabalho devido a pareceres adversos de revisores.

Nota explicativa

Venho estudando, há anos, as formas autistas e os objetos autistas em pacientes adultos, seguindo as contribuições de Tustin. Tentei publicar na *Revista Brasileira de Psicanálise* um primeiro trabalho, no qual proponho que o autismo leva seu portador ao isolamento máximo de si mesmo e de outros. Foi recusado para publicação por motivos não subsidiados pelos pareceristas.

Este trabalho é um desenvolvimento daquele e inclui outra hipótese: a etiologia traumática para o autismo, contrária à explicação corrente psicanalítica que a remete a fatores psicogênicos.

Posteriormente, considerando uma dúvida levantada por Célia Fix Korbivcher (2006) sobre a possibilidade de transformar elementos alfa em elementos beta, segundo Bion, escrevi outro trabalho, aprovado como tema livre do XXIII Congresso Brasileiro de Psicanálise, em Setembro de 2011.

Não o inclui neste livro, porque estou deduzindo que é material para um novo livro, tamanha sua importância e dimensão.

Proponho a existência da personalidade autista e a considero importante para o desenvolvimento de um quadro clínico do espectro autista, como o autismo, a psicose, os distúrbios alimentares, os sintomas psicossomáticos, as perversões e as adições às drogas e ao alcoolismo.

A etiologia do autismo parece incluir elementos neurobiológicos, genéticos e psíquicos, ainda mal definidos e integrados.

É um campo de estudo que interessa à Neuropsiquiatria Pediátrica, à Psiquiatria, à Psicologia Experimental e à Psicanálise, mas deve ser estendido a toda a clínica médica, devido ao comprometimento da capacidade de seu portador para a vida biológica, afetiva, familiar, social e profissional, em graus variáveis de gravidade de diminuição da imunidade biológica e de insuficiência psíquica.

Podemos remeter as dificuldades de diagnóstico e de tratamento ao desconhecimento de sua etiologia, apesar da incessante e crescente pesquisa nas áreas da Genética e das Neurociências, sendo que, até aqui, nenhuma evidência de marcador biológico foi apontada. Também a Psicanálise nada apresentou de concreto como evidência clínica, apesar de volumoso conteúdo de hipóteses teóricas, com exceção de Tustin (1972, 1990) e Ogden (1989b, 1996), como será detalhado neste trabalho.

A psicopatologia autista é reunida por Gilbert (2005) em três áreas distintas: da sociabilidade, da linguagem e da motricidade. O autista opta pelo isolamento social, habita um mundo vazio, não fala ou só repete o que lhe é falado, e repete movimentos estereotipados idiossincráticos. Vive em um mundo quase inanimado, congelado, sem sentimentos, e tem como característica central uma organização idiossincrática, com a qual apresenta extrema habilidade em gerir questões intelectuais, motoras e artísticas, mas encerra enorme dificuldade para o aprendizado de outras tarefas diferentes do seu ordenamento ditado pela memória implícita.

Em recente encontro científico (2010), ao qual estive presente, com participação de especialistas de renome nacional e internacional em estudos neuroevolutivos, de neuroimagem e de genética, fiquei com a impressão de que não se chegará a um marcador biológico para a etiologia do autismo, devido à inespecificidade dos resultados obtidos, apesar do grande número de pesquisas. Nesse encontro, de início foi excluída a importância das contribuições teóricas e técnicas da Psicanálise para o tratamento desses pacientes. Esse radicalismo é prejudicial, porque só a soma de contribuições das ciências afins permitirá ir além na compreensão dessa enigmática entidade clínica.

Meu objetivo, neste trabalho, é acrescentar ao estudo da etiologia do autismo o conceito de trauma segundo o DSM-IV (1994), meu conceito de "retirada autista" (Salim, 2007), e estender esse estudo aos pacientes que apresentam "personalidade autista". Entendendo esses pacientes como portadores de resíduos autistas marcantes, como Tustin (1990) descreveu em seu livro *Barreiras autistas em pacientes neuróticos*.

Embora eu não trabalhe com crianças ou adultos autistas, encontro no meu trabalho clínico esses resíduos autistas, e poder diagnosticá-los está sendo marcante para meu trabalho clínico atual, como demonstrarei no material clínico incluído.

Considero importante o desenvolvimento do conceito de uma personalidade autista, tal como se considera o paciente com personalidade *borderline* ou personalidade narcísea, com especificidades que demandam uma técnica psicanalítica adequada.

Proponho a hipótese de que o autismo tem uma etiologia neurobiológica, relacionada ao trauma sentido pela vítima com sensação de morte, seguido de defesa neurobiológica inata para preservar a vida, que denomino de "retirada autista", e os recursos inatos e biológicos descritos por Tustin como "formas autistas" e "objetos autistas", isto é, elementos do próprio corpo que, em contato com suas superfícies sensoriais (pele, mucosa etc.), geram sensações sensoriais para atenuar a angústia de morte por darem a noção de continuar existindo.

Contribuições de Tustin

Senti dificuldades pessoais para adentrar no estudo da obra de Tustin (1972, 1990) mas, ao conseguir fazê-lo (Salim, 2005b, 2006), acredito que enriqueci meu conhecimento sobre certas idiossincrasias pessoais minhas.

Considero-a pouco conhecida e mesmo banalizada por médicos, psiquiatras, psicólogos e psicanalistas, com prejuízo evidente para a compreensão da psicopatologia atual das entidades que compõem o que denomino de clínica do espectro autista.

Tustin analisou-se com Bion e conviveu com uma plêiade de colegas ilustres de seu tempo. Sua vida pessoal foi marcada pela presença constante do marido, um cientista inovador na Física que balanceava seus voos psicanalíticos. Contudo, afirma que o elemento decisivo para o estudo do autismo psicogênico foi seu perfil pessoal marcado por resíduos autistas.

Ela reuniu seus estudos no livro *Barreiras autistas em pacientes neuróticos* (1990), descrevendo a sintomatologia e a etiologia decorrente do apego do recém-nascido e do bebê àquilo que denominou de "objetos autistas" e de "formas autistas". Escreveu: "As formas primordiais (primeiras-meu) parecem emanar de ritmos e respostas autoeróticas na raiz de nossa existência". Prossegue: "As formas autistas são formas vagas de sensação e originam-se da sensação de substâncias corporais tais como fezes liquefeitas, urina, saliva, muco, o alimento na boca e até o vômito... Seus equivalentes físicos são coisas como lama, areia, plástico, barro, água, tinta etc". Para mim, seus representantes clínicos são a enurese noturna, a salivação excessiva, a sudorese intensa, o lacrimejamento excessivo e outros.

Quanto aos objetos autistas, escreveu: "A dureza é um aspecto característico da maioria dos objetos autistas (...). Para a criança, um objeto autista é primariamente uma sensação". No meu entendimento, seus representantes clínicos são a encoprese, os eczemas, o bruxismo, o chuchar o nariz ou a boca com o dedo, os movimentos da língua dentro da boca e sobre os lábios e outros.

Para a autora, as experiências sensórias com os objetos autistas e as formas autistas tendem a manter a criança autista em um estado não-eu, excluída das relações com o mundo externo e interno. Defende a tese de que o objetivo do tratamento da psicopatologia autista é livrar o portador de suas barreiras autistas para a retomada dos processos de maturação psíquica e física.

Esse arranjo com objetos e formas autistas assemelha-se àquele utilizado por adultos, quando apertam as chaves do carro nas mãos, ou prensam os dentes superiores contra os inferiores (bruxismo), roem as unhas com os dentes ou ficam enrolando os cabelos com os dedos. A adesão a esses objetos e formas, no entanto, segundo ela, "parece afetar a capacidade do indivíduo (pelo apego aos mesmos) para a empatia e, portanto, para relações com as pessoas".

Esses objetos e formas autistas são anteriores ao objeto transicional de Winnicott (1951). Este é produto da experiência de ilusão proporcionada pela "mãe suficientemente boa". Diz Winnicottt: "É sabido que os bebês, assim que nascem, tendem a usar o punho e os polegares em estimulação da zona erógena bucal, para satisfação dessa zona (...) em seu uso da primeira possessão que seja não-eu. (...) É claro que algo mais é importante aqui, além da excitação e das satisfações oral, embora estas possam ser a base de todo o resto. (...) A mãe permite que fique sujo e até mesmo malcheiroso, sabendo que, se o lavar, introduzirá uma ruptura de continuidade na experiência do bebê, ruptura que pode destruir o significado e o valor do objeto para ele".

Há similaridades e diferenças no tipo de apego do recém-nascido e do bebê a esses objetos. Por exemplo, enquanto o objeto transicional de Winnicott não é substituível pelo bebê, o objeto autista é de modo fácil substituído pelo bebê. No entanto, ambos são considerados pelos autores como vitais, tanto o dedo como o pano que levam constantemente à boca. Ambos os autores remetem esse apego à busca de descarga da energia libidinal represada, via excitação das zonas erógenas, começando pela boca. Isso se torna compreensível pelo condicionamento dos citados psicanalistas pela teoria libidinal de Freud (1917), conduzida pelo Princípio de Prazer. Como tentarei mostrar, esse apego deve-se mais à questão do estar existindo, da sobrevivência, do que à obtenção de um prazer ou à descarga de um impulso libidinal erótico oral.

A psicopatologia autista

Estou criando a denominação de psicopatologia autista para diferenciá-la da psicopatologia esquizoparanoide, depressiva e edípica. Na minha experiência clínica, é a responsável pelo mais intenso grau de exclusão do homem e da mulher. É a exclusão de si mesmo ou exclusão animada, na qual seu portador se mantém ausente de si mesmo em estado de suspensão animada. Talvez, tenha relação com a psicopatologia do vazio encontrada habitualmente em nossa clínica atual.

O ponto alto da descrição de Tustin do isolamento do homem ou da mulher de seu ambiente, devido ao autismo psicogênico, é mencionado como se segue: "Em certos estágios de seus tratamentos, quando estão experimentando ameaças fundamentais ao continuar a ser - das quais a queda (o desfazer-se fisicamente ou a loucura-meu) é uma delas – as crianças autistas passam por estados fora do corpo, nos quais se comportam como um robô ou um zumbi, efetuando movimentos automáticos. Nesses estados, elas dirão coisas como "Ele fará isso", ou "Ele fará aquilo", e não "Eu farei isto ou aquilo". Em um ensaio a ser publicado, Enid Balint descreveu um paciente que, por um período muito longo, falava de si mesmo dessa maneira desincorporada. Esses pacientes sentem que, tendo deixado seus corpos, resta-lhes uma carcaça blindada que se move automaticamente, oca e vazia como o *Homem de Lata,* no *Mágico de Oz,* ou os homens ocos, no poema de mesmo nome de T.S. Elliot".

Para Tustin, os objetos autistas e as formas autistas mantêm a criança autista em um estado não eu, excluída das relações com o mundo externo. Isto porque são mais confiáveis por serem autoproduzidos dentro de uma regularidade, ritmo e intensidade ditados pela própria criança. Por isso, para Tustin, "ao estudarmos os objetos e as formas autistas, estamos estudando a anatomia da loucura".

Seguia o conceito psicológico clássico de Freud (1919) de trauma, definido como um excesso de excitações sobre um ego que não consegue processá-las. Ela não inclui, como faço neste trabalho, o conceito de trauma relacionado pela sua vítima a uma noção de morte.

Mais adiante, diz: "Em alguns casos, o autismo surgiu após ou durante uma doença debilitante, ou intervenção cirúrgica na infância, especialmente se os membros foram imobilizados (Olin, 1975). Mas, obviamente, há crianças que passaram por tais experiências e não se tornaram autistas, uma combinação de circunstâncias tem de coincidir... Fatores importantes nessa combinação são as tendências constitucionais da própria criança e o clima emocional da família na qual ela é criada".

Em outra parte, menciona: "Após muitos anos de trabalho com crianças autistas, cheguei à conclusão de que o autismo psicogênico é resultado de uma interação entre um estado temporário de depressão ou insegurança da mãe, durante a primeira infância da criança, e a natureza particular da criança". Prossegue: "A penetração (pela técnica de tratamento psicológico-meu) tem que ser introspectivamente sensível. Nesses níveis, estamos trabalhando com elementos psicossomáticos e neuromentais".

Esses destaques podem indicar que Tustin tinha uma concepção subjetiva de elementos biológicos na etiologia do autismo. Faltou-lhe um aclaramento mais amplo.

Outro discernimento importante foi a relação que estabeleceu entre o estado autista e a vida animal. Ela escreve: "Uma função do autismo para as crianças autistas parece ser simular a morte (perda do ser), pelas reações de imobilização do corpo e sensações de entorpecimento de suas extremidades. Por meio disso, eles sentem que evitam a morte súbita e catastrófica (separação física de seio externo), que acontece incontrolável e inesperadamente. De certa forma, isto é semelhante ao congelamento de um animal apavorado. Chiara Catelan descreveu seu paciente infantil assim: "M. parece um corpo mumificado. Ele é como um Faraó que encontra na morte a possibilidade de manter seu corpo esplendidamente intacto. Seus olhos são a única parte da múmia que não está coberta pelas bandagens. Esta imagem de um corpo mumificado é particularmente adequada, porque a vida no antigo Egito era dominada pela necessidade de preservar a continuidade física para evitar o término e a separação da morte".

Meus estudos e minha observação clínica conduziram ao reconhecimento da semelhança entre a vida animal e a vida do bebê, do jovem e do homem, demonstrando que o comportamento de ambos é determinado pela relação instintiva com o perigo de morte para o qual o animal está mais apto, com as possibilidades de luta ou de fuga e as defesas empregadas, segundo Levine (1997).

Outra contribuição de Tustin é a identificação dos elementos autistas em pacientes adultos psiconeuróticos, contribuição essa de relevante importância clínica, e que propiciou esse meu trabalho.

No prefácio de seu livro, ela faz a seguinte citação de Sydney Klein (1980): "No curso de uma revisão periódica do progresso de minha prática clínica e particularmente das formas de comunicação habituais de meus pacientes, tomei consciência de que certos pacientes, os quais eu considerava inicialmente como sendo apenas moderadamente neuróticos, alguns dos quais eram também candidatos à análise, revelavam durante o curso do tratamento fenômenos familiares no tratamento de crianças autistas. Esses pacientes eram altamente inteligentes, esforçados, bem sucedidos... que vieram para análise ostensivamente por razões profissionais ou devido a uma falha em manter uma relação satisfatória com um marido ou esposa...".

Mais adiante, diz Tustin: "Certos pacientes neuróticos têm muito em comum com as crianças autistas".

Ao longo da descrição de meus casos clínicos, ilustro mais a sintomatologia autista presente em pacientes jovens e adultos. Em geral esses pacientes apresentam dificuldades para se comunicarem e vivem em contínuo medo de deixar de ser, de se escoarem (Rosenfeld, 1980), de se desfazerem e de viverem desincorporados como um não-eu, como ilustrado no livro através de inúmeros casos clínicos citados.

Contribuições de Ogden

Talvez o mais significativo seguidor de Tustin seja Ogden (1989b, 1996), psicanalista americano que sistematizou a posição autista-contígua, após trabalhar anos com pacientes psicóticos.

Tem o mérito de diferenciar uma psicopatologia oriunda do período inicial sensório (autista), quando não existe a presença do ego capaz de diferenciar o eu do não-eu, daquela psicopatologia oriunda do período no qual se pode falar do ego psíquico como descrito por Freud (1923), isto é, com capacidade para conciliar a realidade interna com a realidade do mundo externo, distinguir princípio do prazer do princípio da realidade, e diferenciar processo primário de processo secundário.

No período inicial do desenvolvimento psíquico, existe um universo sem palavras, dirigido por percepções sensórias, talvez o mesmo que Freud (1923) citou sucintamente como ego corporal. Este tem a função de presidir as ações motoras e as funções sensitivas do recém-nascido e do feto. Nesse período, não existe sujeito com um ego capaz de o diferenciar de outro.

Pouco se escreveu sobre essa contribuição de Ogden, sobre o trabalho de Tustin (1990) e de Bick (1968, 1986), conforme descrito ao longo deste trabalho. Esse fato está em oposição ao estudo da posição depressiva e esquizoparanoide de Klein (1963), sobre a qual existe uma vasta literatura que se estende no universo psicanalítico atual.

Meus estudos interdisciplinares

Penso ter ido além dos citados trabalhos de Tustin, Bick e Ogden com meus estudos para estabelecer o substrato anatômico do psiquismo inicial, tais como a relação com a estrutura e o desenvolvimento do sistema nervoso central e o sistema nervoso autônomo, o estudo da memória implícita e as respostas inatas e reflexas ao trauma com sensação de morte, conforme definido pelo DSM-IV (1994). Fiz a articulação dos mesmos com noções da Embriologia, da Psiquiatria, da Psicologia Experimental e da Ultrassonografia fetal.

Penso, ainda, ter ido mais longe do que os neurobiologistas, ao acrescentar as contribuições citadas da Psicanálise. Foi mais importante a soma do que o radicalismo.

A necessidade dessa multidisciplinaridade foi despertada por Kandel (2003), prêmio Nobel de Medicina em 2000, com estudos sobre a memória implícita. De forma conclusiva, esse neurocientista de naturalidade austríaca e, antes, um imigrante psicanalista, com base nesses estudos, afirma que os psicanalistas precisam rever a teoria do inconsciente de Freud (1912), referindo-se tanto ao inconsciente da teoria topográfica, quanto ao inconsciente da teoria estrutural, sem negar a existência do inconsciente como propôs Freud. Menciona que muitas ações motoras e sonhos têm caráter automático e, desde que aprendidos, não se esquecem mais, como amarrar o cadarço do sapato, andar de bicicleta e outros. Ficam armazenados na memória implícita, cuja sede é a amígdala cerebral. Essa memória existe desde a fecundação em estado rudimentar, mas já suficiente para fazer o registro das percepções sensórias oriundas das sensações sensórias autoproduzidas pelo embrião ou produzidas pelo funcionamento de suas incipientes funções vitais.

Essa memória corresponderia ao ego corporal mencionado por Freud (1923) e é responsável pelo registro das experiências sensoriais relacionadas aos nossos objetos autistas e nossas formas autistas, dando o substrato anatômico para as "barreiras autistas" e pelas respostas inatas e reflexas de nosso organismo diante de situações de perigo.

Como acréscimo pessoal, defendo a intuição de que essa memória se organiza e se enriquece como decorrência do exercício contínuo para tentar resguardar nossa sobrevivência, cujas demandas são anteriores a nossa propagação. Confirmam essa hipótese as recentes descobertas da função dos sonhos pela Neurociência, que revela a função do sonho voltada para transformar em memória implícita o aprendizado de curta duração ocorrido durante o dia (Sidarta, 2003).

Esse estudo ajuda a entender por que em situações de perigo o corpo chega antes de nós, por meio de respostas corporais e ações motoras impensadas. Tem semelhança com a sensibilidade dos animais para situações de perigo. Nosso biopsiquismo, desde a fecundação, é voltado para a manutenção das funções vitais necessárias para a maturação dos processos biológicos e, depois, dos processos cognitivos relativos ao ego propriamente dito.

No início, nosso metabolismo funciona em estado de homeostase, fato que pode ter relação com o Princípio de Nirvana citado por Freud (1920), jamais deixado de ser buscado pelo ser humano adulto. Esse estado fisiológico equilibrado, regular e contínuo, é registrado pela memória implícita incipiente, e o indivíduo retorna a ele sempre que há a noção de risco para sua continuidade de ser, de existir. Isso sucede porque a homeostase é o estado ótimo para manter a sobrevivência, devido à absorção e ao consumo mínimo de oxigênio para manter as necessidades vitais. Dei a esse movimento para trás o nome de retirada autista (Salim, 2006), que é de importância capital para o entendimento de psicopatologias como o Transtorno de estresse pós-traumático e a Anorexia Nervosa, como já expus (2005b, 2006). Compara-se ao conceito de regressão de Freud (1917), que comparou a regressão ao movimento do exército em busca de pontos de apoio que deixou para trás, em sua marcha, para poderem ser utilizados em caso de risco no *front* da guerra. Assim, para tentarem proteger-se da morte e se apaziguarem, o embrião, o feto, o recém-nascido, o bebê, a criança, o jovem, o adulto e o senil, vítimas do trauma, se retraem e permanecem imóveis, em estado de vida tipo suspensão animada.

Os estudos recentes de Blackstone et al. (2005) para prolongar a vida de órgãos para transplantes demonstram cientificamente que, quando se reduz o metabolismo basal ao mínimo, por meio de técnica de congelamento ou pelo uso do sulfeto de hidrogênio (H_2S), consegue-se o estado de homeostase com sobrevida aumentada.

É importante ressaltar que a retirada autista deixa seu portador destituído parcialmente de suas funções cognitivas e ele passa a ser gerenciado pelas estruturas cerebrais do sistema nervoso límbico ou reptilíneo, fato que explica as ações exageradamente viscerais e violentas de autistas quando ameaçados. Nos casos graves, podemos dizer que viram bichos, tamanha a selvageria.

Contribuições pessoais

O conhecimento da obra de Tustin e Ogden aproximou-me da Biologia, aproximação aumentada com o estudo do trauma via Psiquiatria. Empreguei esse conhecimento no entendimento do desenvolvimento do psiquismo inicial e sua relação com a estrutura e o desenvolvimento do sistema nervoso central e o sistema nervoso autônomo, considerados como substratos anatômicos do aparelho psíquico.

O trauma seguido do medo consistente de morte gera defesas semelhantes às dos animais. São ditadas pelo sistema nervoso autônomo ou visceral, ou ainda reptilíneo, e compreende reações de congelamento, de imobilidade, de luta e de fuga, dependendo da avaliação do contexto do perigo através dos órgãos dos sentidos e das experiências anteriores da vítima, registradas na memória procedural ou de procedimento. Diante do perigo, tais reações atuam antes do pensamento com a cabeça. O corpo chega antes da pessoa, que desconhece a razão por que agiu de determinada maneira.

Levine (1997), o fundador da escola que denominou de Experiência Somática, mostra que, quando a presa opta pela imobilidade, acontecem modificações psicofisiológicas de natureza neurológica motora e sensitiva, hormonal e bioquímica. Por exemplo, há aumento de produção de endomorfinas para aliviar a dor, caso a presa intua que será comida pelo predador. A saída dessa imobilidade ocorre algum tempo depois, após um tremor físico que finaliza o trauma sofrido. A presa que, ao sair da imobilidade, não tiver esse tremor torna-se presa fácil para outro predador, quando retorna à mata.

Essa imobilidade deve-se ao retraimento autista para favorecer a manutenção das funções vitais com o mínimo necessário de oxigênio celular, como mencionado. Este mecanismo fica registrado na memória procedural incipiente e vai equipá-la ao longo da vida, como um recurso reflexo e autônomo de defesa. Penso que diante de um perigo grave de morte sempre regredimos a ele.

Considero pertinente a hipótese de que o autismo tem relação com o trauma fetal produzido por doenças neonatais, malformações congênitas, traumatismos físicos anteriores ao nascimento, traumatismo do parto e outros, que fazem sua vítima refém do retraimento autista.

O recém-nascido portador desses traumas apresenta movimentos motores lentos, têm dificuldade para pegar o mamilo, dificuldades para estabelecer contato com a mãe e outras manifestações próprias do estado de imobilidade. Podemos intuir o caos se não é adequadamente cuidada, como Winnicott (1978) acentuou tão bem com o conceito físico de *holding* e de "mãe suficientemente boa".

Tustin afirmava que muitas crianças autistas tinham mães dedicadas e que não se podia relacionar o autismo psicogênico a elas, deixando subentendido que havia razões anteriores ao nascimento.

A favor da demonstração da importância desse trauma precoce e seus desdobramentos futuros, falam as experiências de Harlow (1958) e Levine (1962) com macacos e ratos. Esses autores observaram que macacos e ratos, após seis meses de isolamento de suas matrizes, apresentavam comportamento diferenciado quando isolados até dez dias após o nascimento. Esses animais se mostravam desvitalizados e procuravam o isolamento. O mesmo não ocorria com os bichos isolados após dez dias de convívio com os seus.

Essas contribuições podem auxiliar no conhecimento da especificidade da psicopatologia autista gerada por essa matriz (Salim, 2006).

Talvez o sonho seja o único instrumento para o reconhecimento da ocorrência do trauma precoce. Em oportunidades excepcionais, chega-se à sua identificação por intermédio do relato da mãe ou de outros familiares do paciente.

Sobre o trauma

Meus estudos (Salim, 2005b, 2006) sobre o trauma, conceituado conforme o DSM-IV como "um evento traumático que produz em sua vítima ou testemunha uma noção de morte", é um conceito biológico de trauma, diferente do conceito de Freud (1917) de trauma relacionado à impossibilidade do ego de elaborar uma situação vivida, seguido até hoje pelos psicanalistas. Meu abandono desse conceito freudiano favoreceu-me articular os conceitos até aqui expostos.

Esse trauma precoce pode ocorrer no período fetal, produzido por estados tóxicos ou infecciosos, traumatismos físicos, sendo o mais comum o traumatismo do parto. Tustin afirmava que muitas crianças autistas tinham mães dedicadas e que não se podia relacionar o autismo psicogênico a elas, deixando subentendido que havia razões anteriores ao nascimento, possivelmente traumas, como expus.

Os estudos de Levine (1962) são importantes de serem mencionadas. Este pesquisador mostra que, quando a presa opta pela imobilidade diante do predador, devido à impossibilidade para a luta ou para a fuga, acontecem modificações psicofisiológicas de natureza neurológica motora e sensitiva, hormonais e bioquímicas. Por exemplo, há aumento de produção de endomorfinas para aliviar a dor caso a presa intua que será comida pelo predador. A saída dessa imobilidade ocorre após o afastamento do predador e é obtida pelo tremor físico que finaliza o trauma sofrido, que se assemelha ao nosso espreguiçar. São respostas ditadas pelo cérebro límbico (instintivo). Tais reações diante do perigo atuam antes de processadas com a cabeça. O corpo chega antes da consciência. Essas defesas de imobilidade foram descritas por Tustin, como assinalado nas minhas citações da mesma, e têm relação com o desfalecimento do homem diante do perigo.

Conclusão

Sugiro que o autismo não é psicogênico, e sim, neurogênico, relacionado à ocorrência do trauma na posição autista-contígua. Parece-me uma hipótese para ser testada e avaliada por outros estudos antes de ser afastada.

Colabora com essa proposição a identificação de trauma fetal, perinatal e pós-parto em pessoa com elemento autista.

Talvez o sonho, conforme Andrade (2004), seja o único instrumento para o reconhecimento da ocorrência desse trauma em um trabalho de Psicoterapia Psicanalítica. Em alguns casos, chega-se à sua identificação por intermédio do relato da mãe ou de outros familiares do paciente.

Em geral, esses pacientes apresentam dificuldades para se comunicar e vivem em contínuo medo de deixar de ser, de se escoarem, de acordo com Rosenfeld (1980), de se desfazerem e de viverem desincorporados como um não-eu.

Foi e continua sendo importante identificar essa psicopatologia em meus pacientes jovens e adultos, fato que vem modificando minha prática clínica.

Sobre o reconhecimento dessas barreiras, Tustin diz que "as crianças autistas psicogênicas estão nas garras de terrores elementares que são parte da porção inata de todos nós, embora não no mesmo grau... Quando os pacientes autistas estão paralisados pelo autismo, eles não podem contar-nos como ele é. É apenas à medida que emergem desses estados que, se formos receptivos, eles podem revelar-nos alguma coisa sobre sua natureza. Ainda que seja uma questão de recepção tardia, conseguimos indicações úteis".

Embora aponte uma natureza neurobiológica para a etiologia do autismo, a técnica psicanalítica é a única capaz de penetrar no âmago do isolamento autista. Devido à predominância da sensorialidade sobre a linguagem verbal, a intersubjetividade analista-analisando dita o fenômeno da contratransferência, que se torna elemento de fundamental importância para o diagnóstico e o tratamento dessa psicopatologia. O conteúdo da fala desses pacientes é marcado pela desesperança, pela obsessão em encontrar o significado correto das palavras, pelo enquadramento a que nos submete a seus objetos autistas e formas autistas, e por seu modo de ser, que não permite mudanças ou interferências em seus passos, como muitos de nós fazemos com seus referenciais teóricos.

É preciso acrescentar que o despertar de Tustin para o estudo do autismo foi lento e povoado de incertezas.

Certamente, deverá acontecer o mesmo conosco.

Referências bibliográficas

Alexander, F. (1962). *El enfoque Psicossomático en Medicina*. Buenos Aires: Paidos.

Andrade, V, M. (2000). *O desenvolvimento psíquico: psicanálise e neurociências*. Não publicado.

__________. (2004). A Psicanálise em transformação. *Revista da Sociedade Brasileira de Psicanálise do Rio de Janeiro*. 5 (1): 49-66.

__________. (2005). Affect and the therapeutic action of Psychoanalysis. *International Journal of Psychoanalysis*. 43: 306-310.

Assis, M. B. A. C. (1999). Considerações sobre experiências clínicas no campo da intersubjetividade. *Revista da Sociedade Brasileira de Psicanálise*. 33 (2): 341-64.

Balint, M. (1975). *O médico, seu paciente e a doença*. Rio de Janeiro: Livraria Atheneu.

Berlin, M. T. et al. (2003). Transtorno de estresse pós-traumático e depressão maior. *Revista Brasileira de Psiquiatria*. 25 (Supl. I): 51-4.

Bernik, M. & Laranjeiras, M. & Corregiari, F. (2003). Tratamento farmacológico do Transtorno de estresse pós-traumático. *Revista Brasileira de Psiquiatria*. 25 (Supl. I): 46-50.

Bettelheim, B. (1987). *A fortaleza vazia*. São Paulo: Martins Fontes Editora.

Bion, W. R. (1962). *Learning from experience*. New York: Basic Books.

__________. (1973). *Atenção e interpretação*. Rio de Janeiro: Imago Editora.

Bick, E. (1968). The experience of the skin in early object relations. *International Journal of Psychoanalysis*. 49: 484-486.

__________. (1986). Further considerations of the function of the skin in early object relations. *British Journal of Psychoterapy*. 2: 292-299.

Blacstone, E. & Morrisson, M. & Roth, M. B. (2005). H_2S induces a suspended animation-like state in mice. *Science*. 308 (5721): 518-525.

Boakes, R. A. (2008) Self-starvation in the rat: running versus eating. *Spanish Journal of Psychology*. 10 (2): 251-257.

Brandão, M. & Daniel, M. & Sueli, M. & Júlia, S. (2003). Organização neural de diferentes tipos de medo e suas implicações na ansiedade. *Revista Brasileira de Psiquiatria*. 25 (Supl. II): 36-41.

Bulik, C. M. (2005). Exploring the gene-environment nexus in eating disorders. *Journal of Psychiatry and Neuroscience*. 30 (5): 335-339.

Bulik, C. M. & LaBar, K. S. & Piven, J. & Pelphrey, K. A. (2007). Anorexia Nervosa and autism spectrum disorders: guide investigation of social endophenotypes. *Psycholog. Bulletin*. 133(6): 976-1006.

Cannon, W. B. (1939). *The wisdom of the body*. New York: W. W. Norton & Co.

Condillat, B. (1775). *Dicionário Oxford de Filosofia*. Rio de janeiro. Zahar Editor.

Dakar, M. V. (2004). *Diagnóstico em Esquizofrenia*. Conferência apresentada em 2004, durante evento de atualização em Esquizofrenia da Associação Mineira de Psiquiatria.

Descartes, R. (1946). *Discours de la Méthode*. Paris: Librairie Larousse.

Dunbar, H. F. (1947). *Mind and body: psychosomatic medicine*. New York: Random.

DSM IV. (1994). *Diagnostic and Statistical Manual of Mental Disorders*. Fourth Edition. Washington: American Psychiatric Association.

Favaro, A. & Tenconi, E. & Santonastaso, P. (2008). The relationship between obstetric complications and temperament in eating disorders: a mediation hypothesis. *Psychosomatic Medicine*. 70 (3): 372-7.

Ferenczi, S. (1926). *Further contributions to the theory and technique of Psycho-analysis*. London: Hogarth Press.

Figueira, I. & Mendlowickz, M. (2003). Diagnóstico do transtorno do estresse pós-traumático. *Revista Brasileira de Psiquiatria*. 25 (Supl. I): 12-16.

França, J. N. F. (1999). Editorial. *Revista Brasileira de Psicanálise*. 33: 5-6.

Freud, S. (1894). Realidade e alucinação. E.S.B. 1.

__________. (1950 [1895]). Projeto para uma psicologia científica. E. S. B. I.

__________. (1900a). *The Interpretation of Dreams*. S.E. 4 and 5.

__________. (1901). *Realidade, superstição e misticismo*. E.S.B. 4.

__________. (1905d). *Three Essays on the Theory of Sexuality*. S.E. 7.

__________. (1906). *A hereditariedade e a etiologia das neuroses*. E.S.B. 9.

__________. (1906). *Sentido de realidade nos sonhos*. E.S.B. 9.

__________. (1909). *Uma nota sobre o inconsciente na Psicanálise*. E.S.B. 11.

__________. (1911). *Afastamento neurótico da realidade* E.S.B. 12.

__________. (1911). *Mundo externo e atenção*. E.S.B. 12.

__________. (1911). *Realidade e fantasia*. E.S.B. 12.

__________. (1912). *Uma nota sobre o inconsciente em Psicanálise*. E.S.B. 12.

__________. (1912). *Recomendações aos médicos que exercem a Psicanálise*. E.S.B. 12.

__________. (1913). *Totem e tabu*. E.S.B. 13.

__________. (1916). *Teste de realidade*. E. S. B. 14.

__________. (1916). *Resistência e repressão*. E.S.B. 16.

__________. (1917). *Regressão*. E.S.B. 16.

__________. (1916-17). *Introductory lectures on psycho-analysis. On regression*. S.E. 16.

_________. (1919). *A Psicanálise e as Neuroses de Guerra.* E.S.B. 17.

_________. (1919). *O estranho.* E.S.B. 17.

_________. (1920). *Memorando sobre o tratamento elétrico dos neuróticos de guerra.* E.S B. 17.

_________. (1920). *Além do princípio de prazer.* E.S.B. 18.

_________. (1922). *Sonho e telepatia.* E.S.B. 18.

_________. (1923). *O ego e o Id.* E.S.B. 19.

_________. (1924). *Remodelamento da realidade nas psicoses e substituição da realidade nas fantasias.* E.S.B. 19.

_________. (1925). *Algumas consequências psíquicas sobre a distinção anatômica entre os sexos.* E. S. B. 19.

_________. (1925 [1924]). *An Autobiographical Study.* S.E. 20.

_________. (1926 [1925]). *Inhibitions, Symptoms And Anxiety.* S.E. 20.

_________. (1927). *O Ego e o Id. Nota de roda pé.* E.S.B. 20.

_________. (1930a). *Civilization And Its Discontents.* S. E. 21.

_________. (1938). *Realidade psíquica e externa.* E.S.B. 23.

_________. (1938). *Realidade psíquica e adaptação ao mundo externo.* E.S.B. 23.

_________. (1939 [1934-38]). *Moses And The Monotheism: Three Essays.* S.E. 23.

_________. (1940a [1938]). *An Outline of Psycho-Analysis.* S.E. 23.

Gatward, N. (2007). Anorexia Nervosa: an evolutionary puzzle. *European Eat Disorders Revue.* 15 (1): 1-12.

Harlow, H. (1958). The nature of love. *American Journal of Psychology.* 13: 673-686.

Gibran, K. (1923). *O Profeta.* Porto Alegre. L&M Pocket Editores.

Gilbert, C. (2005). *Transtornos do espectro do autismo.* Palestra em 10 de Outubro de 2005, no Auditório do INCOR, São Paulo.

Grodstein, J. (1987). *Schizophrenia as a disorder of self regulation and interactional regulation.* Presented on a conference at the Boyer House Foundation: The regressed patient. San Francisco, CA.

Heimann, P. (1950). On countertransference. *Internaternational Journal of Psychoanaly*sis. 31: 81-84.

Imbasciati, A. (2001). Ciências Cognitivas e Psicanálise; uma convergência possível. *Revista Brasileira de Psicanálise.* 36 (1): 9-30.

Kafka, F. (1915). *The Metamorphosis.* New York. Schoken Books Inc.

Kandel, E. (2003). A biologia e o futuro da psicanálise: um novo referencial intelectual para a psiquiatria revisitado. *Revista de Psiquiatria do Rio Grande do Sul.* 25: 139-165.

Klein, M. (1932) *The effect of early anxiety situation on the sexual development of the girl.* The Psycho-analysis of children. New York, Humanities Press.

_________. (1934). *Uma contribuição à psicogênese dos estados maníaco-depressivos.* Contribuições a Psicanálise. Editora Mestre Jou.

_________. (1945). *Complexo de Édipo à luz das primeiras ansiedades.* Contribuições à Psicanálise. São Paulo. Editora Mestre Jou.

_________. (1957). *Inveja e Gratidão.* Rio de Janeiro. Imago Editora.

Kohut, H. (1999). *Como cura a Psicanálise.* Porto Alegre. Artes Médicas.

Kohl, M. & Foulon, C. & Guelfi, J. D. (2004). Hyperactivity and anorexia nervosa: behavioral and biological perspective. *Encephale.* 30, 5: 492-499.

Korbivcher, C. F. (2006). A mente do analista e as transformações autísticas. *Revista Brasileira de Psicanálise.* 39 (4): 113-130.

Laplanche, J. & Pontallis, J. B. (1967). *Vocabulário de Psicanálise.* Lisboa.

Levine, S. (1962). Infantile experience and resistance to physiological stress. *Science.* 135: 405-406.

Levine, P. (1998). *Waking the tiger: healing the trauma.* Berkeley, CA. North Atlantic Press.

Joyce, M. (1989). *Theaters of the body.* New York: W.W. Norton & Company.

Mahler, M. (1952). *O processo de separação-individuação.* Porto Alegre: Artes Médicas.

Martins, C. D. et al. (2004). Humor e psicose em esquizofrenia: explorando fronteiras diagnósticas com o Inventário de Critérios Operacionais para Doenças Psicóticas (OPCRIT) e o caso John Nash. *Revista de Psiquiatria do Rio Grande Sul.* 26 (2): 135-157

Marty, P. & M'Uzan, M. (1994). O pensamento operatório. *Revista Brasileira de Psicanálise.* 28: 165-174.

Meltzer, D. (1975). Adhesive identification. *Revue Contemporary Psychoanal*ysis. 11: 289-310.

Nicolelis, M. (2011). *Muito Além Do Nosso Eu.* São Paulo: Companhia das Letras.

Ogden, T . (1989b). Sobre o conceito de uma posição autista-contígua. *Revista Brasileira de Psicanálise.* 30: 341-364.

_________. (1996). *O terceiro analítico: trabalhando com fatos clínicos intersubjetivos.* Os Sujeitos da Psicanálise: Casa do Psicólogo.

_________. (1996).*O isolamento pessoal: o colapso da subjetividade e da intersubjetividade.* Os Sujeitos da Psicanálise: Casa do Psicólogo.

Panksepp, J. (2005). *Trabalho apresentado no IV Congresso Internacional de Neuropsicanálise.* Rio de Janeiro.

Queiroz, J. (2003). Comunicação simbólica em primatas não humanos: uma análise baseada na semiótica de C. S. Peirce's. *Revista Brasileira de Psiquiatria.* 25 (Supl II): 18-21.

Piontelli, A. (1997). *L'Observation des Jumeaux dès avant e à Naissance.* Le Bebé dans tous ses États (p. 41-48). Colloque Gypsy II. Paris: Éditions Odile Jacob.

Primeiro Encontro Brasileiro para Pesquisa em Autismo (2010). *Faculdade de Medicina da Universidade Federal de Porto Alegre*, Rio Grande do Sul.

Procopio, M. & Marriot, P. (2007). Intrauterine Hormonal Environment and Risk of Developing Anorexia Nervosa. *Archives of General Psychiatry*. 64 (12): 1402-1407.

Queiroz, J. & Gustavo, F. & Fabiano R. A. & Márcio R. M. & Rafael R. (2003). Consolidação da memória e estresse pós-traumático. *Revista Brasileira de Psiquiatria*. 25, (Supl II): 25-30.

Renik, O. (2002) Modelos da Mente e suas implicações na Técnica Psicanalítica. *Revista da Sociedade Brasileira de Psicanálise de Porto Alegre*. 4 (1): 179-192.

Rilke, R. M. (1922). *Elegias de Duíno*. Rio de Janeiro: Editora Record.

Rosenfeld, D. (1980). O corpo em Psicanálise - Acerca do esquema corporal. *Revista Brasileira de Psicanálise*. 17: 235-255.

Saavedra, C, M. (1604). *El ingenioso hidalgo Don Quixote de la Mancha*. Buenos Aires. Biblioteca Mundial Sopena.

Salim, S. A. (1994). *O conceito de realidade psíquica*. Apresentado no Núcleo Psicanalítico de Belo Horizonte, em Novembro de 1994.

__________. (1995). O silêncio do Analista. *Arquivo de Psiquiatria, Psicoterapia e Psicanálise*, Fund. Mário Martins. 2 (2): 81-86.

__________. (2001a). Recentes confluências teóricas na Psicanálise e possíveis contribuições para a eficácia na prática clínica. *Revista Brasileira de Psicanálise*. 35 (3): 483-494.

__________. (2001b). Psicanálise, Neurobiologia e Posição autista-contígua: contribuição para desenvolvimento na teoria e na técnica psicanalítica. *Casos clínicos em Psiquiatria*. 3 (1): 26-30.

__________. (2002). Remendos para uma superfície sensorial. *Revista da Sociedade Brasileira de Psicanálise de Porto Alegre*. 4 (2): 437-450.

__________. (2003c). O Trauma e a Desconexão. *Revista da Sociedade de Psicanálise do Rio Janeiro*. 5: 99-112.

__________. (2004). *A metamorfose* de Kafka e a Desconexão. *Revista da Academia Mineira de Letras*. 34: 173-194.

__________. (2005a). Psicanálise hoje: o Trauma, A Desconexão e o Transtorno de estresse pós-traumático. *Revista da Sociedade Brasileira de Psicanálise do Rio Janeiro*. 4 (1, 2): 105-134.

__________. (2005b). Trauma, Psicose e Transtorno de estresse pós-traumático. *Revista da Sociedade Brasileira de Psicanálise de Porto Alegre*. 7 (2): 595-624.

__________. (2006). Trauma, Autismo psicogênico e Personalidade autista. *Revista da Sociedade Brasileira de Psicanálise do Rio Janeiro*. 7 (1): 119-140.

__________. (2007a). Etiologia do sintoma psicossomático: relação com a reincidência traumática e o retraimento autista. *Revista de Psiquiatria do Rio Grande do Sul*. 29(22): 233-238.

__________. (2007b). Paciente poliqueixoso e trauma físico e psíquico. *Revista Médica de Minas Gerais*. 17(1-2): 27-33.

_________. (2009). Etiologia da Anorexia Nervosa: hipótese traumática. *No prelo.*

_________. (2010). Revendo o autismo: uma proposta traumática para etiologia do autismo. *No prelo.*

Sanci, L. & Coffey, C. & Olsson, C. &. Reid, S. & Carlin, B. & Patton, G. (2008). Sexual abuse and eating disorders in females: findings from the Victorian Adolescent Health Cohort Study. *Arch. Pediat. Adolescent Medicine.* 162(3): 261-7.

Sartre, J. P. (1943). *Being and nothingness.* New York: Philosophical Library.

Scaer, C. R. (2001). *The body bears the burden.* New York: The Haworth Medical Press.

Selye, H. (1936). The general adaptation syndrome and the diseases of adaptation. *Journal of Clinical Endocrinology.* 6:117.

Shirakawa, I. (2004). Evolução dos critérios diagnósticos da Esquizofrenia. *www.pecabp@ecurso.com.br*

Sidarta, R. (2003). Sonho, memória e o reencontro de Freud com o cérebro. *Revista Brasileira de Psiquiatria.* 25 (Supl II): 59-63.

Solms, M. (2000). *Comentary on J. Allan Hobson.* Neuro-Psychoanalysis. http:neuro-psa.com/ solmshob.htm

Soussumi, Y. (1999). Afetos, Emoções, Instintos, Psicanálise e Ciência. *Apresentado em reunião científica da Sociedade Brasileira de Psicanálise de São Paulo,* 10/06/ 1999.

Strachey, J. (1937). *Comentários Editoriais em Analise Terminável e Interminável.* E.S.B. 23.

Tomova, A. & Makker, K. & Kirilov, G. & Agarwal, A. & Kumanov, P. (2008). Disturbances in gonadal axis in women with anorexia nervosa. *Eating Weight Disorders.* 12 (4): 92-7.

Tustin, F. (1972). *Autismo e Psicose Infantil.* Rio de Janeiro: Empresa Gráfica O Cruzeiro.

_________. (1980). Autistic objects. *International Revue of Psychoanalysis.* 7: 27-40.

_________. (1984). Autistic shapes. *International Revue of Psychoanalysis.* 11: 279-290.

_________. (1986). *Autistic barriers in neurotic patients.* London: Karnac Books.

_________. (1992). *Autistics states in children: revised edition.* London. Routlegde.

Wilheim, J. (2003). *O que é Psicologia Pré-Natal.* São Paulo: Casa do Psicólogo.

_________. (2004). O trauma da concepção. Tema livre Congresso da AP de Buenos Aires.

Winnicott, D. W. (1949). *Recordações do nascimento, trauma do nascimento e ansiedade.* Rio de Janeiro: Francisco Alves.

_________. (1951). *Os objetos transicionais e os fenômenos transicionais.* Da Psiquiatria à Psicanálise. Rio de Janeiro: Francisco Alves.

_________. (1955). *Da dependência á independência no desenvolvimento do indivíduo.* Os processos de maturação. Porto Alegre. Artes Médicas.

__________. (1958). *O desenvolvimento emocional primitivo. O ambiente e os processos de maturação.* Porto Alegre: Artes Médicas.

__________. (1960). *Distorção do ego em termos de falso e verdadeiro self.* Porto Alegre: Artes Médicas.

__________. (1962). *A integração do ego no desenvolvimento da criança.* O ambiente e os processos de maturação. Porto Alegre: Artes Médicas.

__________. (1963). *Da dependência à independência no desenvolvimento do individuo.* Porto Alegre: Artes Médicas.

__________. (1975). *O brincar e a realidade.* Imago Editora. Rio de Janeiro.

__________. (1978). *Textos Selecionados: da Pediatria à Psicanálise.* Rio de Janeiro: Livraria Francisco Alves Editora.

__________. (1988). *A natureza humana.* Rio de Janeiro: Imago.

Wonderlich, S. A. et al. (2005). Personality and Anorexia Nervosa. *International Journal of Eating Disorders.* 37: 587- 589.

Zucker, N. L. et al. (2007). Anorexia Nervosa and autism spectrum disorders: guide investigation of social endophenotypes. *Psychological Bulletin.* 133(6): 976-1006.